中国近现代针灸文献研究集成

教材卷

王富春 杨克卫／主编

针灸综合分卷

广东篇（五）

北京科学技术出版社

针灸学（广东光汉中医专科学校）

提 要

一、作者小传

曾天治（1902—1948），又名曾贵祥，广东五华人，出生于五华大田镇蛇坑村一个农民家庭，其父曾恩荣以务农为生。曾天治自幼聪颖，后得到教会助学金资助，就读于教会主办的乐育中学。曾天治1918年中学毕业后，入李明朗神道学校学习，1921年肄业。1921—1927年，曾天治先后任外国人教师、教会干事，并主编教会月报周刊长达六七年，为其日后兴办学校、著书立说打下了基础。1928—1931年，曾天治任佛山华英女子中学教师，兼任两广浸会干事，此期间其长子、次子、母亲先后染病不治去世，这对曾天治打击甚大，加上自己及妻子得病，虽久治而不愈，他逐渐萌生习医念头，曾天治自谓："感疾病重重压迫……又以现代医药如此低能，治疗如此缓慢，常欲研究超常的疗法，快捷的医术，以拯救众生，挽救垂危。"1932年春，经友人介绍，亦因见到《申报》所载宁波东方针灸学社和承淡安先生函授针灸的消息，曾天治购买各书学习针灸，并辞去教员职务，远赴江浙，问道张俊义、陈景文、缪召予等，受业于承淡安先生门下。

曾天治1933年9月学成返粤，开始用针灸治病，并于同年年底申请正式成为无锡中国针灸学研究社社员。曾天治曾在惠州用针灸治愈了不少疑难重病患者，赢得了良好的声誉。后来曾天治于广州万福路自设诊所并办针灸专修班，同时在广州泰康路光华医学院左邻开设科学化针灸治疗讲习所。从1934年起，曾天治撰写的文章分别发表于《针灸杂志》《复兴中医》《医药评论》《明日医药》《光华医药》《国医公报》《诊疗医报》《广东医药旬刊》《北平医刊》等杂志上，由于曾天治从事过编辑工作，文笔流畅，故其文章颇受瞩目。1935年，经时任广东医学卫生社社长的潘茂林和汉兴国医学校校长方德兴推荐，曾天治先后任汉兴国医学校、光汉中医专门学校针灸科教员，光汉中医院针灸科医生。

1938年曾天治迁居中国香港，在香港皇后大道中144号二楼开设诊所，在妻子韩拉结协助下，于深水埗荔枝角道创办香港科学针灸医学院。该针灸医学院为香港地区最早的针灸教育机构。居港期间，曾天治与同是承门弟子的卢觉愚多有交流，两人集资创办基督教日报《大光日报》，并在副刊上每月刊发两期“针灸医刊”，宣扬针灸医术。1941年太平洋战争爆发，曾天治携妻子、儿女等回到家乡。为维持生计和谋求更大的发展，在安顿好家人后，曾天治孤身一人经桂林转入重庆，妻子韩拉结则在家乡继续主持诊所针灸医务，兼转接、办理前香港函授学员的教授工作。

1942—1945年，曾天治在重庆邹容路新生村继续开办科学针灸医学院，并在此期间撰写了《科学针灸治疗学》，将之在重庆出版。抗日战争胜利后，曾天治移居上海。1947年，他迁往苏州，在旧学前书院设诊办学。同年夏季，他又举办针灸暑期讲习班，以《科学针灸治疗学》为教材，听课者纷至沓来。其时杨医亚、马继兴等人在北平设中国针灸研究所，出版《中国针灸学》季刊，聘曾天治为编辑委员。1948年春，曾天治因病于3月13日病逝于苏州寓所。

曾天治在其短暂而辉煌的针灸生涯中，悬壶于粤、港两地，辗转粤、港、桂、渝、沪、苏等地设诊办学，受业者济济有众，我国广州的庞中彦、伍天民，香港的苏天佑、邓昆明，湖南常德的谈镇尧，江苏泰州的萧见龚及菲律宾的关飞雄等均是曾天治的杰出传人，受其亲炙者或其再传弟子遍及国内外。

曾天治勤于钻研，善于思考，工于教学，注重临床实践，不断改革教学方法，在其短暂的针灸生涯中，著述颇丰。《中国中医古籍总目》收载其著作5部：《针灸治验百零八种》《针灸医学大纲》《实用针灸医学》《针灸学》《科学针灸治疗学》。据考，《中国中医古籍总目》未收载的曾天治著作有4部：《针灸治疗实验集》，《针灸医学》第1集、第2集，《求医指南》，《救人利己的妙法》。虽然《中国中医古籍总目》未录上述4部书，但这4部书的内容和目录可在中国国家图书馆等图书馆查阅，由此可推知这4部书多是曾天治为宣扬针术而印刷的小册子。《中国中医古籍总目》收载的5部书基本保留了曾天治各个时期的针灸学术思想。此外，曾天治在多本医学杂志上发表了约30篇针灸学论文，这些论文也体现了其针灸学术思想。

二、版本说明

该书卷首题“实验针灸学”，是广东光汉中医专科学校针灸学讲义，由广州西湖路流水井珠江承印，共5编4册，上册第一、第二编共装订为3册，藏于北京中医药大学图书馆，下册第三、第四、第五编合订为1册，公立馆未见馆藏。本次选用底本为杨克卫自藏的上册、下册五编全本。《中国中医古籍总目》载该书出版于1934年，但据该书所引北平《明日医药》主编王药雨先生对曾天治的评价“广州曾天治先生精于此道，尝编《针灸医学大纲》一册行世，内容甚佳”，可以推知《针灸学》不会早于《针灸医学大纲》出版，出版时间至少在1935年10月以后，笔者团队认为当是1936年。

三、内容与特色

《针灸学》上册扉页对本课程教学的时间安排进行了说明：“针灸学定两学期教授毕，兹支配如下：第一学期讲第一编绪论及第二编经穴，第二学期讲第三编针治术，第四编灸治术及第五编证治。”下册由针治术、灸治术和证治三部分内容组成。

第一编为绪论，介绍针灸的意义，引述中西医学之名医对针灸的看法，认为针灸治疗具有万能、快捷、经济、便利和安全5个特点，并分析了针灸治疗衰微不振的原因为经穴难明、手法不精和医者索求经济效益，最后提出针灸医生的修养为学贯中西、洁身自好和存心济世。

第二编为经穴，分为总论6章和各论15章。总论第一章介绍了经穴的重要性，第二章介绍了经穴难学五大原因——穴位图不清晰、解剖不明了、医家不轻易传授、经穴太多和禁忌太多，第三章介绍了经穴的分类，第四章介绍了经穴的度量法——骨度分寸法，第五章介绍了经穴的记忆法——卡片记忆法，第六章介绍了经穴位置正确的标准——患者的针感。各论详细阐述经穴、常用奇穴（18个）、禁针穴和禁灸穴，且在经穴内容前附有6幅经穴图以供学者参考，每章前面附有经穴分寸歌以便于学习者记忆，最后面还附有十五络穴歌、禁针穴歌、禁灸穴歌、井荥输经合原主治表、十二经络流注表以便学习者参考、记忆。每个经穴下按位置、解剖、主治、疗法和附录五方面编写内容，位置部分内容为传统定位，解剖部分内容为现代解剖定位，主治部分将中西医病名合用，疗法部分内容包括取穴体位、针刺深浅、行针时间和灸量，附录部分为特定穴属性。奇穴部分则把“解剖”项换为“取法”，以适应实际取穴需要。

第三编针治术，分为绪论、中国针术与内分泌、第一章针之研究和第二章针术。第一章介绍了针之种类、制造、选择及保存、大小长短；第二章介绍了运针不痛法、针术之手技、刺针之方向、刺针之押手、针术之消毒、刺针之深浅、刺针刺激之强弱、针之响、刺针之时间、放血、针后肿痛出血之补救法、拔针法、针难出穴之原因与办法、折针及其处置法、晕针之救治、针上灸、火针、刺针的禁忌点、针治之实施。

第四编灸治术，介绍了灸之种类、艾之选择、艾绒之制造、艾炷之大小及壮数之决定、艾之化学成分、艾炷所发之温度、施灸部组织之变化、灸治之时间、取穴法、灸治之注意、灸后调摄法、艾灸之善后、灸之适应证、灸治之禁忌点等。

第五编证治，分为治疗歌诀和治疗各论。治疗歌诀有《百症赋》《席弘赋》《行针指要歌》《玉龙歌》《胜玉歌》《杂症穴法歌》《长桑君天星秘诀》《马丹阳天星十二诀》《四总穴歌》《肘后歌》，治疗各论介绍了神经系统疾病、消化系统疾病、呼吸系统疾病、心血管系统疾病、泌尿系统疾病、生殖系统疾病、内分泌系统疾病、五官疾病、脊柱疾病、传染病、妇科病、儿科病、外科病，每论下详细介绍了疾病的病因、症候、治疗。

现将该书特色介绍如下。

（一）精简手法，注重实用

曾天治认为传统补泻手法玄妙不可领会，加之以往学习针灸，多于师徒间私相授受，外人难以一见。曾天治把针刺效果归纳为制止、兴奋、诱导3种。对于针刺手法，曾天治注重实用性和可行性，取单刺（进针不留针）、旋撚（进针后捻转）、雀啄（进针后提插）、皮针（浅刺皮肤）、置针（进针后留针）、乱刺（同一部位多次不间隔进针）、间歇（同一部分多次间隔进针）、回旋（捻转进针、出针）、细振（进针后震颤）、歇啄（进针后分浅中深提插）10种，认为上述10种技术足以发挥针之刺激力，达到兴奋、制止、诱导3种目的。曾天治还强调刺针入穴，必以病人有酸麻感为度。

曾天治结合亲身经验，一方面对初学者常遇问题，如针之大小、针之选择、针之保存、针之长短等加以详述，另一方面，又着眼于临床实际，对押手使用、运针不痛法、针在穴内之久暂、针刺之深浅、刺激力之强弱等给予指导性解答，或取他人之说，或述已之验，以助研习者循之施行。

（二）重视灸法，针灸并施

受承淡安倡导灸法的影响，曾天治在临证中亦重视灸法的运用，并在第四编灸治术中论述灸法和自己的体会。曾天治认为，艾绒质量优劣对治疗效果影响甚大，以端午前采集、闻之芳香、白净无茎者为上。在灸法应用方面，他认为隔姜灸和直接灸最为常用：普通病证，以箸头大艾炷隔姜灸则可获效；救急重证，则以米粒大艾炷直接灸功力最宏。艾炷大小、壮数多少等，须根据患者年龄、性别、病情轻重等决定，不可同一。

对于一些疾病，很多时候曾天治针灸并施，常获良效。如治慢性肥厚性鼻炎，先针合谷、风池，后隔姜灸通天、上星两穴。若患者不感疲倦，再刺迎香，次日依法施治；疾患顽固者，则风池、风门亦灸。又如治疗胃下垂，以雀啄术针内关、足三里，继针中脘、建里、天枢，针后灸中脘、建里、天极，务使病人灸感强烈，血行旺盛而收缩腹肌。曾天治针灸并用，施术有序，故常能起沉疴，除痼疾。

（三）重视辨病，明确病证

曾天治认为欲治病，须先辨病。他认为学医者须研究解剖，熟习生理病理知识，学会诊断疾病和鉴别诊断，临证方可准确辨病识证，不致误人性命，并认为旧式针灸书多只列出病证，写出应用经穴而已，而忽略了基础学问，使得后学无所适从。曾天治系统研究西医学书籍后认为，西医学分科分系，条分缕析，说理明了，医者容易明白，西医学对疾病的解释亦可得到病人信任，使病人坚持治疗。

鍼灸學定兩學期教授畢。茲支配如下；第一學期講第一編緒論及第二編經穴。第二學期講第三編鍼治術，第四編灸治術，及第五編證治。

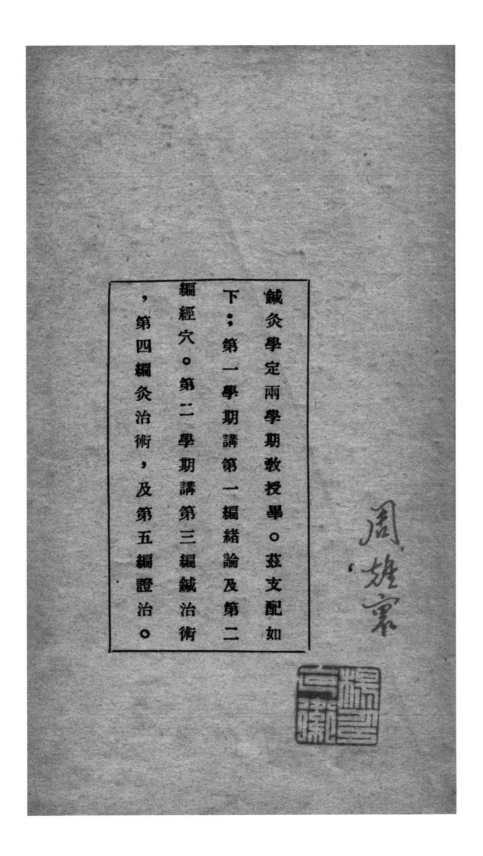

實驗鍼灸學上册目錄

廣州西湖路流水井森江承印

二　各論

廣州西湖路流水井珠江承印

實驗鍼灸學

五華曾天治編

第一編·緒論

第一章　鍼灸之意義

鍼灸剏於岐黃。爲我國最古之醫術。是以素問諸書爲之首載。和緩扁鵲以精此稱神醫。惟自漢代湯藥盛行後。此術漸漸失傳。降至現代。吾粵人士。幾不知鍼灸爲何物矣。故吾論述鍼灸之先。須將鍼灸之意義畧爲解釋。

「鍼」乃以金。銀。白金。鐵。鋼等金屬製成大小長短之實心細鍼。刺入病者身體組織中。刺戟患者各種神經系統。使之起反應。以治療疾病者。然與西醫注射藥水之空心鍼完全不同。

廣州西湖路流水井珠江承印

「灸」乃以藥和於艾絨中。而置於患者身體之一小局部即經穴上。點火燃燒。藉熱力及藥力以治療各種疾病及增進健康之方法也。

合而言之。鍼灸是不用藥物內服外敷而用手術鍼與灸以治療疾病之「物理療法」也。

第二章 中西名醫之於鍼灸

（一）醫學博士

英國劍橋大學醫學博士黃瓔醫師曰：『鍼灸療病爲我國所特有之醫術。傳謂鍼灸能起沉疴於一旦。挽救危症於俄頃。惟操斯術者多爲無識之人。彼等只能知其然而不能知其所以然。良法不求研究改良。因是不彰於世。曷勝浩歎。蓋鍼灸治病操術簡單。頗合經濟之原則。尤其是處於今日民窮財盡之中國。更宜研究。俾資提倡。吾人研究鍼灸所以能愈病之理。因不外利用其刺戟。與溫熱之作用。至於所欲刺者。究爲人體上之何種組織。其生理影響病理變化等學理。我人倘不得而知。按友人林君云。鍼灸之所刺戟者。乃交感腦系也。斯說信然。則最近外科發明之種種交感腦系割除手術。其意義亦相同歟』——中西醫藥創刊號四七頁。

(二)衞生局局長

前廣州市衞生局局長現任仁愛醫院院長何熾昌醫生。於任衞生局局長攷試鍼灸術人材。時訓話云：『今日攷取中醫鍼灸術人員。係奉衞生部令。查鍼灸科原係中醫一小部份之醫術。近代此種學術罕見有懸壺者。故當佈告招考時。意料應攷者必少。今竟有如此之多。足見此種古代醫術。其間正不少潛心研究之人。希望投考諸君。勿論被取與否。仍努力精研。匪特保存我國古代奥妙醫術。且能昌明厥學。精益求精。以與西醫注射術抗衡云云』——民廿二。四月廣州民國日報

(三)著作家

上海大東書局中國醫學大成編者曹炳章先生曰：『鍼灸為手術外治。為治療最普

最要之法。然必須練習手法純熟。審證定穴準的。用鍼補瀉得宜。自然效驗神速……』

——中國醫學大成樣本五頁

（四）雜誌主編

北平明日醫藥雜誌主編王藥雨先生曰：『鍼灸為中國古時醫病方法之一。收效極速。且能治藥餌所不能治之病。惜乎後世偏重湯液療法。鍼灸幾乎失傳。險成絕學。廣州曾天治先生精於此道。嘗編「鍼灸醫學大綱」一冊行世。內容甚佳。……』明日醫藥雜誌一卷四五期合刊四六七頁。

（五）作古的中醫

徐靈胎曰：『內經治病之法。鍼灸為本。而佐之砭石熨治導引按摩酒醴等法。病各有宜。缺一不可。蓋服藥之功。入腸胃而氣四達。未嘗不能行於臟腑經絡。若邪在筋骨肌肉之中。則病屬有形。藥之氣味。不能湊功。故必用鍼灸等法。即從病之所在。調其氣血。逐其風寒。為實而可據也。又曰鍼灸於癰疾傷寒。寒熱。咳嗽。一切臟臍七竅等病。無所不治。』

楊繼洲曰：『却病之功。莫捷於鍼灸。是以素問諸書爲之首載。緩和扁鵲俱以此稱神醫。』

孫思邈曰『宦游吳蜀。體上常帶三兩處灸瘡。其瘴癘瘟瘧毒。不能着人。故吳蜀多行灸法。』

第三章　鍼灸治療的特長

現代醫學非常昌明。藥物治療外。復有理學治療之鬱血療法。溫熱療法。電氣療法。按摩療法。酸素療法。電光療法、X光療法。此外復有電子治療。精神治療。催眠治療。吾人研究中西最新療法外。尚何研究我國古代的鍼灸治療乎。曰鍼灸治療有五大特長。此五大特長爲現代最昌明之醫學所望塵莫及。

一曰最萬能　現代之癲。狂、癇。失眠。腦溢血。神經衰弱。半身不遂。脊髓痨。

腦膜炎○肺癆○胃癰○子宮瘤○慢性白濁○哮喘○鶴膝……等大多數病者非不信現代之醫術○不請求醫生治療○惟治療經年○病仍如故○此其故何耶○特效藥尚未發明○治療手技尚未學習得耳！如此等疾病以鍼灸治療最多三十天內即可治愈——鍼灸○治療能補現代醫學之所不逮○能治藥物所不能治之沉疴痼疾○故曰最萬能○

二曰最快捷　病者呻吟床第○痛苦萬分○莫不希圖速愈○而現代之治療法○側重湯藥○須經胃腸之消化與吸收○方至病灶○故雖尋常小病亦須十日八日方能痊愈○鍼灸治療直接刺戟內部之神經○往往一針甫下○病即遠離○如鼓應桴○如響斯應○收效之快○敢誇第一○

三曰最經濟　現代之醫術須經四五年之研求○出千數百元之學費○方能出而問世○至於治療疾病最少亦須一元數角○每病最低○亦須十元八塊○鍼灸治療則不然○有六個月之探索○五六個月之實習○無論任何沉疴痼疾○都能治療○收偉效果○且只須一鍼一艾○不用一塊錢本錢○即可剷除醫治數十年○用過萬數千元醫藥費之殘廢病○

其經濟與用藥物比較。眞有天淵之別。

四曰最利便　現代之治療法。多用藥物內服。爲丸爲散。爲膏爲飲。或注射。剖割。電療……手續上之麻煩不勝言。即藥物固皆齊備。而煎服之費時。或火候之欠宜。與藥效上發生問題。儀器。電力不備。則治療乏術。何如一鍼一艾。簡而易行。携帶無往非宜。故治療之便利。鍼灸又可首屈一指。

五曰最安全　藥物治療以殺菌爲目的。故無論如何和平之劑不免幾分之害毒。診斷偶誤。藥不對症。輕者有併發他病之恐。重者且有生命之憂。至於剖割以至斃命。及下蒙藥後以致變爲神經衰弱患者無論矣。鍼灸治療只用一鍼一艾。全無危險發生。後患之慮。故可稱爲最安全之治療法。

第四章　鍼灸治療衰微不振之原因

鍼灸治療旣具無上之功能。有五大特長。宜其發達非常。壓倒一切矣。何以至今

廣州西湖路流水井珠江承印

習之者少。病者又不盡求鍼灸治療哉。曰蓋有故焉。而鍼灸本身無與也。

一曰經穴之難明　施行鍼灸。首重經穴。毫釐之差。卽失其效。銅人圖考。繪註不精。苟無名師指授。決難得其眞竅。故學者畏難而退。名師又秘而不傳。大好學術。從此湮沒不傳矣。

二曰手術之不精　醫者未得名師之傳授。考正其經穴。又未潛心研究病理學。練習治療手技。僅憑前人一二之遺法。卽妄施鍼灸。以致病者感受痛苦。且未將病魔逐出。故求鍼灸治療者。日見其少也。

三曰醫者之圖自己之便利　鍼灸治療須用全副精神以赴之。且治每病須一時三刻時間。每日不能治百個病者。至按脈開方。全不費力。而且日可診二三百個患者。擴大收入。故湯藥一發明。方脈盛行。針灸治療。棄置不用矣。

第五章　鍼灸醫生之修養

吾人已明瞭鍼灸治療之特長。鍼灸治療衰微不振之原因。而立心研究鍼灸治療，爲鍼灸醫生。則應講求修養。

（一）宜潛心研究中西醫　鍼灸治療只指示治療技術。而生理。病理。症候。診斷。……等等未詳細探討。吾人必須清楚經穴。學純熟手技後。當抽時候研究中西醫學以至知其然。且能知其所以然。有治療方法亦有豐富之醫學知識。能如是。鍼灸治療方能發達也。

（二）宜戒除不良嗜好　鍼灸治療須用全副精神以赴之。方不致誤。如精神困頓。治療常覺失效。故當戒除一切浪費精神之不良嗜好。講求肉體與精神之衞生。

（三）宜存心濟世。　現代之醫術。有如此多不治之症。病痛無法解除。茲鍼灸治療獨能補其不逮。剷除藥治不效之沉疴痼疾。故望凡我同志俱以濟世爲懷。不辭勞苦。盡心力爲人治療。關于手術費。貧者減贈。富者不苛求。協力剷除人類之病苦。造成多數健康之國民。社會國家實利賴焉。

廣東光漢中醫專科學校講義　針灸學

經穴第一圖

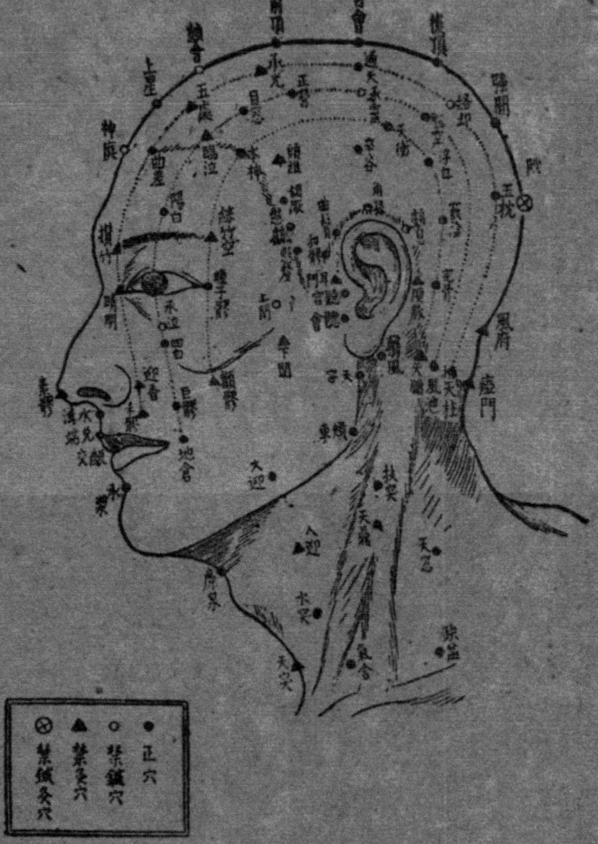

六

廣州西湖路流水井珠江承印

經穴第二圖

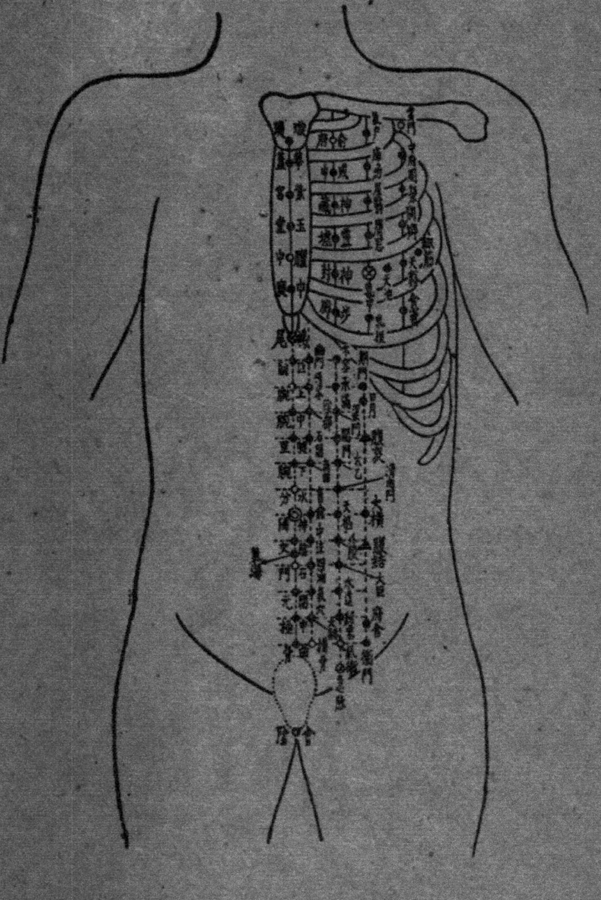

經穴第三圖

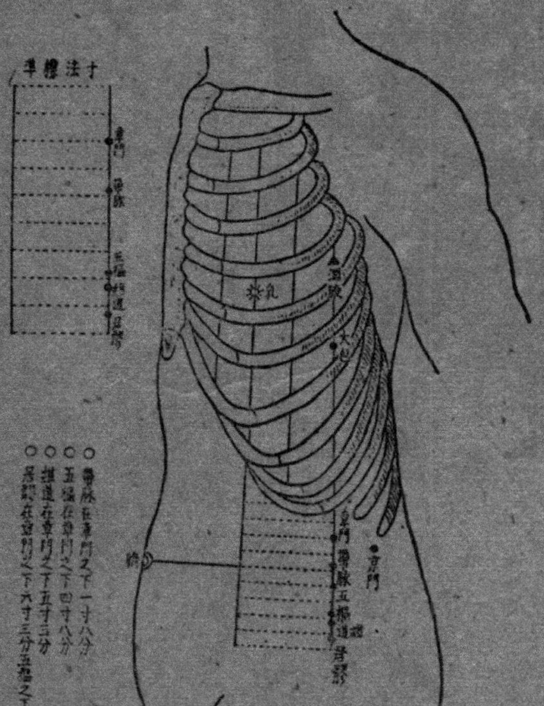

廣東光漢中醫專科學校講義 針灸學 七 廣州西湖路滾水井珠江承印

针灸综合分卷·广东篇（五）

针灸学（广东光汉中医专科学校）

2221

經穴第四圖

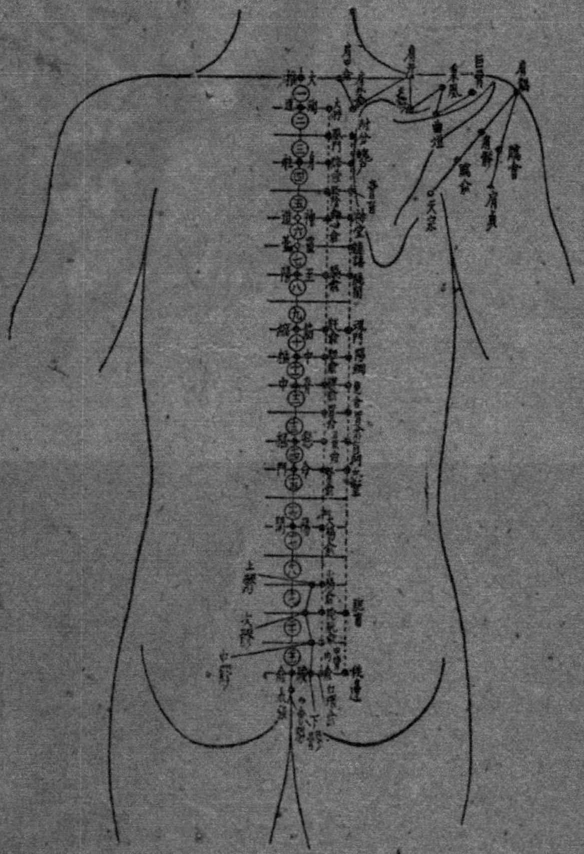

經穴第五圖

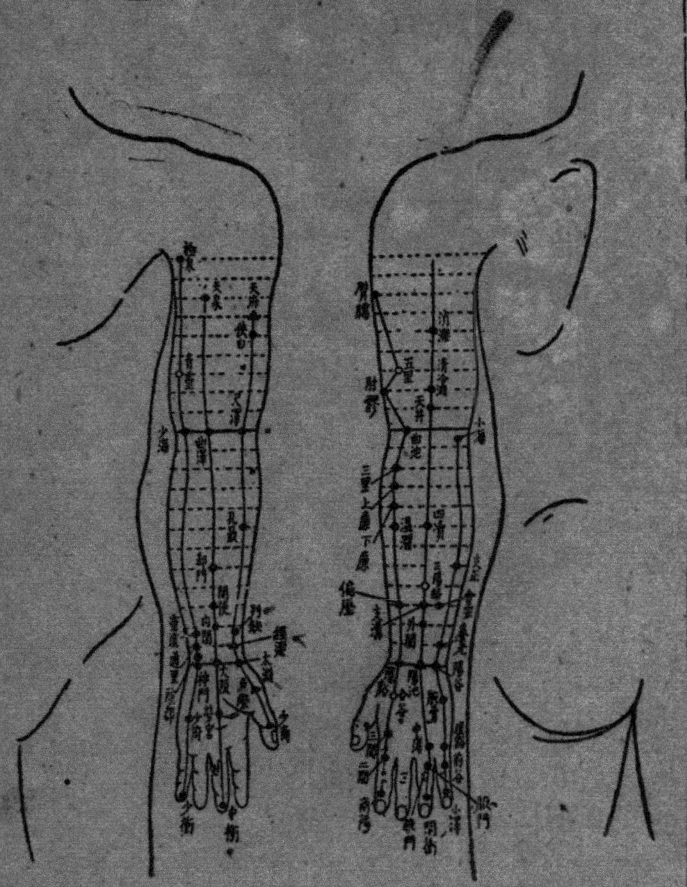

廣州西湖路流水井珠江承印

經穴第六圖

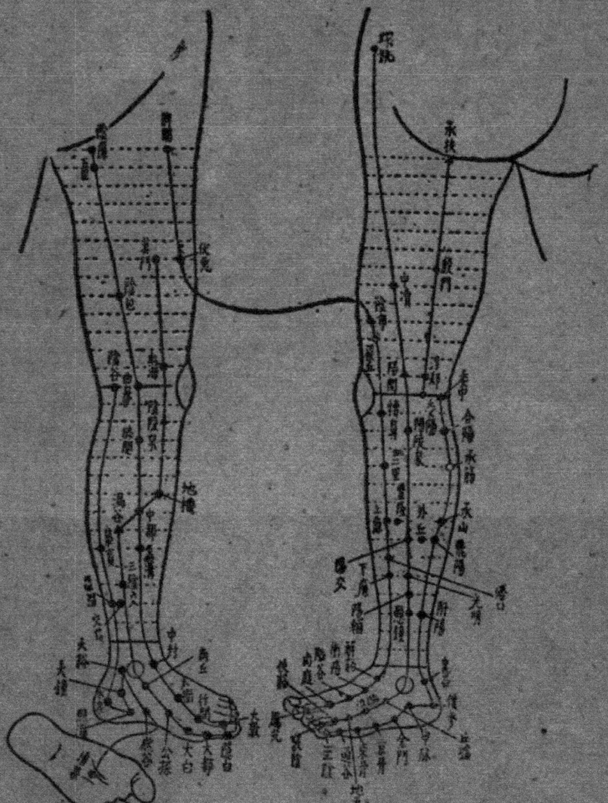

第二編　經穴

一總論

第一章　經穴之重要

用藥療病者必須研究藥物．藥物之氣味．形狀，功用，製法，相反相使，及用量，學說，處方等，必須研究清楚，然後療病方能有效，而不致有誤○研究鍼灸者必須研究經穴，經穴者人身鍼灸之處所也○研經穴之位置，解剖，主治，療法，禁針，禁灸等，必須研究清楚，記憶正確，然後與人鍼灸方能有效○藉曰不然，經穴位置指認不正確，主治記憶不清楚，日後用鍼灸治療必定失敗，或要害人也，學習鍼灸者請用全副精神以赴之○

第二章　經穴難學之原因

凡研究中醫者必看過經穴書，或曾請人指教過，但大多數學者對于經穴都指認不正確，認經穴難學之極・此其故何耶？

(一)繪圖之技術拙劣　欲經穴記憶清楚，除名師教授外，正確之經穴圖極其緊要。蓋名教師教授外，再於暇時對勘正確之經穴圖，易記憶且得正確也。而國人向來繪圖之技術極劣，畫人形畫出一隻水魚，(例如鍼灸大成及銅人圖)或於類似人形上加橫直線引上引下，(例如醫宗金鑑，國醫實用診斷學)經穴文字與經穴圖完全兩樣，學者無所適從，無怪我國南方醫士，認清楚經穴者不多覯也。

(二)國人欠缺人身之解剖知識　欲經穴正確須同時知該經穴部位屬何肌肉何骨骼，內有何神經，血管，經穴著作者用文字指示清楚，學者又有人體解剖知識，然後方易認得正確經穴。茲古人未嘗解剖人體，人體部位之名稱又甚簡畧，經穴之位置無法表示清楚，然以繪圖技術拙劣，學者人體解剖知識又復欠缺，一索再索不得，故經穴從而難學也。

（三）名鍼灸家不輕易傳授　欲經穴正確，最好是得名鍼灸家面授。蓋著名鍼灸家治癒病症甚多，經驗豐富，經穴之正確位置，當然十二分清楚。惜吾國名鍼灸家不多，偶一有之，又秘而不傳，中下醫士只於古人遺下之書本上及拙劣之繪圖上玩味搜索，又何怪認經穴為難學也。

（四）經穴太多　經穴之常用而有效者不過二百個而已，而古人竟列出正穴六百五十七個，經外奇穴又數十個，其中何者重要　何者完全無用，未見明文指示，學者如在五里霧中，不知所刪節，蠻地記憶必致無所記憶，又何怪中下醫士歎經穴難學耶？

（五）禁忌太多　經穴多，已難記憶，再加禁忌甚多，更令學者頭昏腦花矣。例如千金方載日忌：「一日足大趾，二日外踝，三日股內，四日腰，五日口舌咽懸壅垂，六日足小趾：：：：：十干十二支人神忌日：「甲日頭，乙日項，丙日肩臂，丁日胸脅，戊日腹，己日背……」十二時忌：「子時踝，丑時頭，寅時目，卯時面耳，辰時項口，巳時肩，午時胸脅肺……」等，中下醫士安有此腦力記憶之也。

雜學之原因已經探得，茲一一改正之。特聘名師繪經穴圖六幅，插入經穴學中。又採用重繪經穴掛圖，指示學者經穴之正確位置，每經穴項下又列出位置，解剖，主治，療法，眉目清楚，便於記憶，無用之經穴註明之，不合理之禁忌淘汰之，經穴從此不難學矣。

第二章　經穴之分類

依古人所述人體有手足三陰三陽之十二經，涌氣血道。所謂十二經者卽手太陰肺經，手少陰心經，手厥陰心包絡經，手陽明大腸經，手太陽小腸經，手少陽三焦經，足太陰脾經，足少陰腎經，足厥陰肝經，足陽明胃經，足太陽膀胱經，足少陽胆經是也。其位皆在左右。此外又有奇經八脈，曰督脈，曰任脈，曰陽蹻脈，曰陰蹻脈，曰陽維脉，曰陰維脉，曰衝脉，曰帶脉。此中督脉走體後之正中，任脉當體前之正中；以此二脈合前之十二經是謂十四經。此宜於施行針灸之徑路也，故曰經穴。茲依古人所述依次編錄之，學者擇要記憶可也。

第四章　經穴之度量法

經穴度量尺寸，與各種制尺裁尺不同。普通以患者中指彎曲取其第一節與第二節之横紋尖，與第二節第三節之横紋尖，兩尖相去爲一寸計算之，作量四肢之標準。頭部以前髮際至後髮際作爲一尺二寸計算之。前髮際不明者，以眉心上行至後髮際作爲一尺五寸。後髮際不明者，取大椎骨上行至前髮際作爲一尺五寸，前後不明者，以大椎直上行至眉心，作爲一尺八寸計算，此量頭部直行尺寸之標準。頭部横寸，以眼之內眥角至外眥角作一寸爲標準。胸腹部之量法，以兩乳相去作八寸計算，爲胸腹横寸之標準，鳩尾尖（胸劍骨）至臍心作八寸計算之，如無鳩尾尖，以胸岐骨量至臍心作九寸計算之，臍以下至橫骨作五寸計算之，為胸腹直行寸之標準。背部以大椎至尾閭骨作三尺計算之。（胸椎十二，腰椎五，薦骨四，合計二十一椎，上七節各一寸四分一厘，中七節各一寸六分一厘，下七節各一寸二分六厘，）為背部直行分寸之標準。背部橫寸，用中指同身寸法。

第五章　經穴之記憶法

經穴三四百個，各列位置，解剖，主治，療法，禁針禁灸，其繁雜亦如記藥物之費精神，如何記憶方能無誤乎？曰位置，主治，禁針，禁灸，必須記憶清楚，至針幾分，灸幾壯，先可以不用注意，（手術篇有每穴針幾分灸幾壯之良好辦法）易記憶之方法，是備卡片三四百張，隨講授之次第，按日擇要抄錄：一面書穴名，位置，一面書主治，禁針，禁灸，經過一番手抄能助記憶不少。暇時抽出講授過之若干張，自行試驗，有誤，則自行校正，又每穴主治項下之重要者，另用紅鉛筆圈上，先記憶之，日肚腹三里留。
腰背委中求。
頭項尋列缺。
面口合谷收。
胸中——內關。

積月累，二百個常用而有效之經穴，便絲毫無訛，任供使用矣。

第陸章　經穴位置正確之標準

經穴之位置言人人殊，或謂在此，或又謂在彼，究有何標準，可供取舍乎？曰有，正確之位置，抓之覺痠軟痺刺，針之必如電流，涌上達下，而其效見。不然倘所針者非神經衰弱患者，（神經衰弱患者針之不覺痠麻痺刺）則所取之位置有誤，要另找正確位置針之灸之也。

二各論

第一手太陰肺經　凡十一穴　左右共廿二穴

肺經經穴分寸歌

太陰中府三肋間，上行雲門寸六許，雲在璇璣旁六寸，天府腋三動脈求。俠白上五寸主，尺澤肘中約紋是，孔最腕側七寸擬，列缺腕上一寸半，經渠寸口陷中取，太淵掌後橫紋頭，魚際節後散脈裏，少商大指內側端，鼻衄喉痺刺可已。

⊗1中府

位置　雲門之下一寸六分，庫房之旁二寸。

解剖　在前胸壁之外上端，大胸筋之上部，即第一肋間。通腋窩動脈，分布肋間神經，及側胸廓神經等。

主治　主瀉胸中之熱，及身體之煩熱。傷寒，肺急胸滿，喘逆，善噎。食不下。肺胆寒熱。咳嗽上氣不得臥。肩背痛。流清涕。顏面及四肢浮腫。

療法　仰臥取之。針三分至五分深。不可太深。留五呼。(註一)灸五壯。(註二)

附錄　此穴爲肺之募(註三)

2雲門

位置　巨骨(鎖骨)之下，氣戶之旁二寸。

解剖　在鎖骨外端之下際，大胸筋之上部，通過頭靜脉，胸肩峯動脉，分佈側胸廓神經，肋間神經，及鎖骨下神經等。

主治　主瀉四肢之熱，咳逆。喘不得息。肩背神經痛。胸脇徹背痛。心臟病。

療法　以手舉平，坐而取之。針三分至四分深。太深令人氣短促。灸五壯。

3 天府　禁灸

位置　腋下三寸。直對尺澤穴。相距七寸。

解剖　在上膊骨之內側上部，即二頭膊筋部，循腋窩動靜脈，及上膊動脉之分枝；分佈橈骨神經，正中神經。內外中膊皮下神經。

主治　氣管枝炎。眩暈。神經病。慢性關節炎。上膊神經痛。間歇熱。衄血。

療法　以手舉平用鼻尖塗墨，俛首點到處取之。針三分。禁灸。

4 俠白

位置　在天府下二寸。尺澤上九寸。

解剖　在上膊骨之內側中央部。即二頭膊筋，與內膊筋之間。循上膊動脉及頭靜脈。分布內外膊皮下神經。

主治　心臟病。胸部神經痛。心悸亢進。乾嘔。

療法　針三分至五分深。舉臂行之。留一呼，灸五壯。

5 尺澤　禁灸

位置　肘之中。約紋之上。

解剖　在橈骨與上膊之關節部。當二頭膊筋腱之外緣。膊橈骨筋起始部之內緣。循尺骨及橈骨動脈。分布橈骨神經。正中神經。

主治　肺結核。咯血。氣管枝炎。肋膜炎。喘息。四肢運動麻痺。膀胱麻痺。前膊部痙攣。小兒痙攣。喉痺。腹痛。肘痛。精神病。

療法　以手平舉取之。針三分，不宜灸

附錄　此穴爲手太陰之脈所入爲合水(註四)

经名	井穴
肺经	少商
心经	少衝
心包络	中衝
小腸	少澤
大腸	商陽
三焦	関衝
脾经	隱白
腎	湧泉
肝	大敦
胆	竅陰
胃	厲兑
膀胱	至陰

6 孔最

位置 在尺澤下三寸。腕側橫紋上七寸。

解剖 在迴前筋之停止部，上層爲膊頭骨筋之內緣。下層爲長屈拇筋之外緣。循橈骨動脉。通頭靜脉。分布外膊皮下神經及橈骨神經。

主治 傷寒發熱汗不出，咳嗽。肘臂痛。屈伸難。肺出血。嘶嗄失聲。咽痛。

療法 側取之。針三分。灸五壯。

附錄 此穴爲手太陰之郄。(註六)

(8) 7 列缺 頭項諸痛甚效 瘈瘲痙塞亦效

位置 腕上一寸五分。

解剖 在內橈骨筋腱之外側。長屈拇筋之外緣。迴前方筋中。循橈骨動脉之分歧。通頭靜脉。分布外膊皮下神經及橈骨神經。

主治 偏頭風。口眼喎斜。手肘痛無力。半身不遂。口噤不開。痎瘧寒熱。咳嗽。喉痹。健忘。面目四肢疼腫。男子陰中疼痛尿血精出。頭痛及偏頭痛。肺結核。

療法 以兩手之大食二指之虎口交叉。食指盡處筋骨罅中。針二分留三呼。灸三壯。

附錄 此穴爲手太陰之絡(註七)

8 經渠 禁灸

位置 在腕後五分。寸口脉中。

解剖 在內橈骨筋腱之外部。廻前方筋中。循橈骨動靜脉之通路。及頭骨動脉。分布外膊皮下神經及橈骨神經。

主治 傷寒熱病汗不出。心痛嘔吐。扁桃腺炎。喘息。食道痙攣。

療法 針二分。留三呼。禁灸。灸則傷血。

附錄 此穴爲手太陰脉之所行爲經金(註八)

9 太淵

位置 在寸口前陷中。

解剖　在內橈骨筋腱之外側。廻前方筋之下緣。舟狀骨結節之外上部。循橈骨動脉及頭靜脉。分布外膊皮下神經及橈骨神經。

主治　乍寒乍熱。煩燥狂言。胸痺氣逆。肺脹喘息。咳嗽。咳血。咽乾。心痛。目痛生翳赤筋。煩悶不得眠。胸部神經痛。前膊神經痛。頭痛。齒痛。偏正頭痛。

療法　針二分。留二呼。灸三壯。

附錄　此穴爲手太陰脉之所注爲俞土。（註九）

10 魚際

位置　在大指本節後之內側白肉際散紋中。

解剖　在第一掌骨之後側與舟狀骨之關節部。即短外轉拇筋之停止部。循橈骨動脉。分布正中神經。

主治　酒病身熱惡風。傷寒汗不出。舌上黃色。喉痛。咽乾。吐血。腹痛食不下。乳癰。轉筋目眩。齒痛。

咽腫喉痹，針合谷、中渚、少商三穴，救次即愈

療法　針二分至四分深。留三呼。灸五壯。

附錄　此穴爲手太陰脉之所流爲熒火(註十)

圖11 少商　禁灸（[illegible]可灸之）

位置　大指之內側去爪甲如韮葉(約二三分)

解剖　在拇指第二節之前外側。爪甲之發生根部。有拇指內轉筋。循橈骨動脈之終枝分布橈骨神經之前枝。

主治　腦充血。頰頷組織炎。食道狹窄。咽腫喉痹。口內出血。舌下軟瘤。重舌。唇焦。手指痙攣。小兒慢性腸加答兒，小兒乳蛾。驚風。衄血。能泄諸臟之熱。凡初中風卒暴昏沉。痰涎壅盛。不省人事。牙關緊閉。藥水不下。急以三稜針刺此穴與諸井穴。乃起死回生救急之妙穴。

療法　針一分。留三呼。瀉熱宜以三稜針刺出血。不可灸。然治鬼魅邪祟有灸之者。

附錄　此穴爲手太陰脉之所出爲井木（註十一）.

註一　留五呼者。指針針在穴內。留捻五呼吸之時間也。前人無時計。乃以呼吸計算其久暫。以下二呼三呼等意皆同。

註二　壯，前人以艾絨作丸。丸如小麥子。置於穴上燃之。一丸曰一炷。亦曰一壯。五十壯者。繼續燃五十枚之艾絨也。三壯五壯意同。

註三　募者聚也。言經氣之結聚也。凡募穴皆在胸腹。難經曰募在陰而俞在陽。

註四　合水，靈樞經曰二十七氣（註五）所入爲合。素問曰治府者治其合。又曰陽氣在合。取合以虛陽邪。前賢註合字之意曰。合者如水之會也。所入爲合者。言經絡之啣接處也。亦此經與彼經相應之處也。所謂水者。乃前人以五行中之水。配經之合穴。無甚意義。（在臟經配水。在腑經配土）以下有簡稱合水合土意皆同。

註五　二十七氣。內經分十二經。十五絡（註十二）十二經各有絡，再加任督二絡。脾之大絡合爲十五絡。其爲經絡二十七。

註六　郄、與郤同。閉也。亦還也。言所入之經氣。由此而還出。

註七　絡、支而横出者爲絡。十二經各有別絡。別絡者，由此經分支而與別經相連屬之絡也。

註八　經金、血脈之直行者爲經。又曰經者如水之行也。靈樞經曰二十七氣之所行爲經。言經脈之氣，由此處通行。「素問」循上及下。何必受經。經金者。以五行之經配金也。（在臟經配金，腑經火。）以下簡稱經金經火同。

註九　俞土、靈樞曰二十七氣之所注爲俞。俞者輸也。如水之注也。言經氣由此而輸注也。俞土者以五行之土配之也。（在臟經配土，腑經配木）以下簡稱俞土俞木意皆同。

註十　滎火。靈樞經曰二十七氣之所溜爲滎。溜者流也。如水之流也。言經脈之氣。由此處急流而過也。滎火者。以五行之火配之也。（在臟經配火。在腑配水）以下簡稱滎火滎水者意皆同。

註十一　井木、靈樞經曰二十七氣之所出爲井。井爲泉也。水源之所出也。主經脈之氣由此起源發出也。井木者。以五行之木配之也。（在臟經配木，腑經配金，）以下簡稱井木井金意皆同。

註十二　手太陰之別絡曰列缺。手少陰之別絡名曰通里。手厥陰之別絡名曰內關。手太陽之別絡名曰支正。手陽明之別絡名曰偏歷。手少陽之別絡名曰外關。足太陽之別絡名曰飛揚。足少陽之別絡名曰光明。足陽明之別絡名曰豐隆。足太陰之別絡名曰公孫。足少陰之別絡名曰大鐘。足厥陰之別絡名曰蠡溝。任脈之別絡名曰屏翳。督脈之別絡名曰長強　脾之大絡名曰大包。

第二　手少陰心經

凡九穴　左右共十八穴

心經經穴分寸歌

少陰心起極泉中。腋下筋間動引胸。青靈肘上三寸覓。少海肘後五分充。靈道掌後一寸半。通里腕後一寸同。陰郄去腕五分的。神門掌後銳骨逢。少府小指本節末。小指內側是少衝。

1 極泉

位置　腋下毛中。近胸筋之間。

解剖　在大胸筋停止部之外側。與肩胛下筋之間。循腋窩動脈。及肩胛動脈。分布內膊皮下神經。

主治　心臟炎。肋間神經痛。胸脇神經痙攣。臂肘厥冷。

療法　鍼三分。灸七壯。

2 青靈　禁針

位置　在肘上三寸。

解剖　在上膊骨之前內側。上層爲二頭膊筋內緣。下層爲內膊筋之接際部陷中。循上膊動脈。腋窩動脈之分枝。及貴要靜脈。分布內膊皮下神經。

主治　眼球黃色。前額神經痛。肋間神經痛。肩胛及上膊痙攣。

療法　屈肘舉臂取之。灸三壯。禁針。

3 少海不宜灸

位置　肘大骨(上膊骨內上髁也。)之內廉。去肘端五分陷中。

解剖　在鶯嘴突起之內側。二頭膊筋腱之旁。內膊筋停止部之內緣。循返廻尺骨動脉。分布尺骨神經之通路。正中神經。及中膊皮下神經。

主治　癲癇羊鳴。嘔吐涎沫。頸筋收縮回顧不能。瘰癧。肋間神經痛。振震痲痺。顏面神經痛。

療法　針三分。不宜灸。

附錄　此穴爲手少陰之所入爲合水。

4 靈道

位置　在掌後一寸五分。

解剖　在尺骨下部之前內緣。內尺骨筋腱之橈骨側。廻前方筋中。循尺骨動脈。分布尺骨神經之通路。中膊皮下神經。

主治　心內膜炎。乾嘔。臂肘部疼痛。暴瘖不能言。

療法　針三分。灸五壯。

附錄　此穴爲手少陰脈之所行爲經金。

5 通里

位置　腕側後一寸。靈道下半寸。陷中。

解剖　此在內尺骨筋與淺屈指筋之間。循尺骨動脈。分布尺骨神經之通路。中膊皮下神經。

主治　頭痛。眩暈。神經性心悸亢進。扁桃腺炎。眼球充血。上肢痙攣。月經過多。子宮出血。遺尿。急性舌骨筋痲痺。

療法 針三分。灸三壯。

附錄 此穴爲手少陰絡別當太陽者。

6 陰郄

位置 腕後五分。在通里下半寸。

解剖 在內尺骨筋腱與淺屈指筋之間。循尺骨動脈。分布尺骨神經之通路。中膊皮下神經。

主治 盜汗。鼻衄吐血。失音不能言。惡寒發熱。神經性心悸亢進。眩暈。

療法 針三分。灸三壯。

附錄 此穴爲手少陰郄。

7 神門

位置 掌後銳骨之端陷中。陰郄下五分。

解剖 在豆骨與尺骨之關節部。即內尺骨筋之停止部。循深掌側動脈。分布尺骨神經

廣州西湖路流水井珠江承印

主治　大人小兒五癇症。心臟肥大。神經性心悸亢進。癡呆。食慾減退。失眠。

療法　針三分。灸三壯。

附錄　此穴爲手少陰之脈所注爲兪土。

8 少府

位置　在手小指本節後。骨縫陷中。直勞宮。

解剖　在第四掌骨與第五掌骨之間。卽小指屈筋之停止部。循指掌動脈。分布尺骨神經之指掌枝。

主治　心胸痛。肋間神經痛。尿閉。遺尿。偏墜小便不利。子宮脫出。陰門瘙癢。膣內神經痛。

療法　針二分。灸三壯。

附錄　此穴爲手少陰脈之所流爲滎火。

9 少衝

位置　小指之內側去爪甲如韭葉許。

解剖　在小指第三節之內側。爪甲之發生根部。循指掌動脈。分布尺骨神經之指掌枝。

主治　熱病後衰弱。手攣不伸。肋間神經痛。神經性心悸亢進。凡初中風。卒暴昏沉。痰涎壅盛。不省人事。牙關緊閉。藥水不下。亟以三稜針針此穴與少商，商陽，中衝，關衝，少澤出血。乃起死回生之妙穴。

療法　針一分。灸三壯。

附錄　此穴爲手少陰脉之所出爲井木。

第三　手厥陰心包絡經

凡九穴　左右共十八穴

心包絡經經穴分寸歌

心包穴起天池間。乳後旁一腋下三。天泉曲腋下二寸。曲澤肘內橫紋端。郄門去腕方五寸。間使腕後三寸安。內關去腕之二寸。大陵掌後兩筋間。勞宮曲中名指取。中衝中指之末端。

1 天池

位置 乳後一寸。腋下三寸。第四肋間。

解剖 在第四肋間。有大胸筋。及前大鋸筋。循長胸動脈。分布側胸廓神經。及肋間神經。

主治 心臟外膜炎。腋下腺炎。熱病汗不出。瘰癧。

療法 針三分。灸三壯。

2 天泉

位置 曲腋之下二寸。

解剖 在上膊骨前內側。三頭膊筋部。循上膊動脈。分布內膊皮下神經筋枝。

主治　心內膜炎。視力缺乏。

療法　針四分。灸三壯。舉臂取之。

○3曲澤

位置　肘內廉下之陷凹中。即尺澤之內側。

解剖　在肘窩之正中上膊骨與前膊骨之關節部。二頭膊筋腱間。循上膊動脈及貴要靜脈。分布中膊皮下神經。及正中神經。

主治　心臟炎。臂肘神經痛。傷寒嘔吐氣逆。霍亂。卒中。

療法　針三分。灸三壯。伸肘取之。

附錄　此穴爲手厥陰心包絡脉之所入爲合水。

4郄門

位置　掌後去腕五寸。大陵上五寸。

解剖　在橈骨與尺骨之中間。長屈拇筋與淺屈拇筋之間。循尺骨動脉之枝別。前骨間動脈。分布正中神經。

主治　嘔吐衄血。心痛嘔噦。驚恐神氣不足。久瘧。

療法　鍼四分。灸五壯。

附錄　此穴爲手厥陰心包脈之郄。

5　間使

位置　大陵上三寸。即掌後三寸。

解剖　在橈骨與尺骨之中間。長屈拇筋與淺屈指筋之間。循前骨筋動脈。分布正中神經。

主治　傷寒結胸。心懸如飢。嘔沫少氣。中風氣塞。昏危不語。癲狂。霍亂。乾嘔不止。所食即吐不停。腋腫肘攣。卒心痛。咽中如鯁。婦人月水不調。久瘧。四肢脈絕不至者灸之便通。瘖瘂。小兒搐搦及兒夜啼。

療法　針三分。灸五壯。

[根據十三鬼穴治邪祟(癲狂神病)]
[人中——鬼宮] [少商——鬼信] [隱白——鬼壘] [大陵——鬼心] [申脈——鬼路] [風府——鬼枕] [頰車——鬼牀] [承漿——鬼市] [勞宮——鬼窟] [上星——鬼堂] [會陰——鬼藏] [曲池——鬼腿]

附錄　此穴爲手厥陰心包脉之所行爲經金。又爲十三鬼穴之一、之九。

[6 內關]

位置　大陵上二寸。兩筋之間。

解剖　在橈骨與尺骨之中間。長屈拇筋與淺屈指筋之間。循前骨間動脉。分布正中神經。

主治　心臟炎。心外膜炎。產後血暈。腹脹。腹內諸疾。包衣不下。[腹痛胃痛有效]

療法　針五分。灸五壯。

附錄　此穴爲手厥陰心包脉之絡脉。刖去少陽者。

[7 大陵]

位置　在手腕横紋之陷中。尺橈二骨之間。

解剖　在腕關節之前面横紋正中之陷凹部。迴前方筋之下緣。在横腕韌帶。循尺骨動脉。橈骨動脉。分布正中神經。

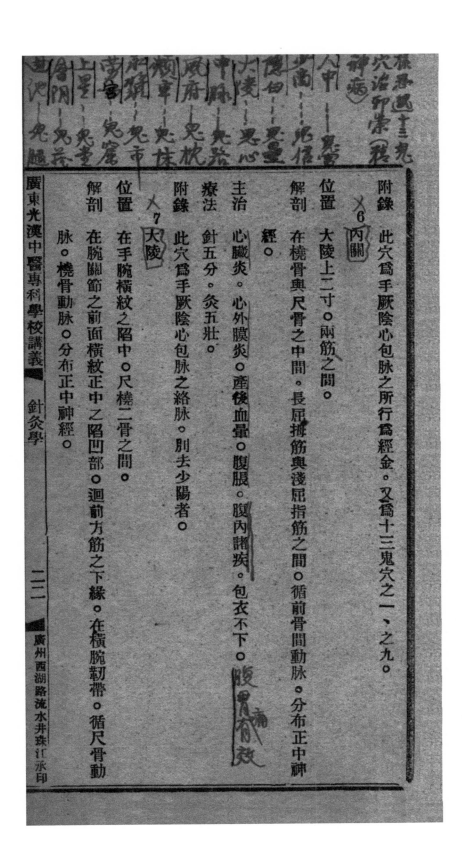

主治　熱病汗不出。喘咳。嘔血。心臟炎。心外膜炎。胸脇神經痛。扁桃腺炎。小便如血。胸前瘡疥。腰腫。附骨癰疽。遊風熱毒。口臭。癲狂。

療法　鍼三分。灸三壯。

附錄　此穴爲心包絡脈之所注爲兪土。又爲十三鬼穴之四。

8 勞宮

位置　在掌心。

解剖　在第二掌骨與第三掌骨之間。手掌腱膜中。循手掌動脉。分布正中神經。

主治　中風悲笑不休。熱病汗不出。脅痛不可轉側。煩渴食不下。口中腥氣。大小便血。熱痔。手痛生瘡。五癇。黃疸。

療法　鍼二分。灸三壯。以中指無名指屈拳掌中。在二指之尖之間。

附錄　此穴爲手厥陰心包絡之脉所流爲滎火。

9 中衝

位置　在中指之端。去爪甲如韮葉許。

解剖　有指掌動脉。正中神經。

主治　熱病汗不出。頭痛如破。身熱如火。心痛煩滿。中風不省人事。小兒夜啼。凡初中風卒暴昏沉。痰涎壅盛。不省人事。牙關緊閉。藥水不入。急以三稜針刺十井穴。爲起死回生之妙訣也。

療法　鍼一分。灸一壯。

附錄　此穴爲手厥陰心包脉之所出爲井木。

第四　手陽明大腸經

凡二十穴　左右共四十穴

大腸經經穴分寸歌

商陽食指內側邊。二間尋來本節前。三間節後陷中取。合谷虎口岐骨間。陽谿腕上筋間是。偏歷交叉中指端。溫溜腕後去五寸。池前四寸下廉看。池前三寸上廉中。

廣州西湖路流水井珠江承印

池前二寸三里逢。曲池曲肘紋盡頭。肘髎大骨外廉近。大筋中央尋五里。肘上三寸行向裏。臂臑肘上七寸量。肩顒肩端舉臂取。巨骨肩尖端上行。天鼎扶下一寸眞。扶突人迎後寸五。禾髎水溝旁五分。迎香禾髎上一寸。大腸經穴是分明。

1 商陽

位置　食指端內側。去爪甲角如韭葉(約二三分)

解剖　在總指伸筋末端附着部。循指背動脈。及頭靜脈。分布橈骨神經之指背枝。

主治　傷寒。熱病汗不出。耳鳴。耳聾。胸膜膨大症。喘息。顏面組織炎。頤頷炎。齒痛。中風跌倒。卒暴昏沉。不省人事。牙關緊閉。藥水不下。急以三稜針出血。

療法　針一分。留一呼。灸三壯。

附錄　此穴爲手陽明之脈所出爲井金。

2 二間

位置　在食指第三節之關節前内側。當食指之旁面。近關節處。

解剖　在總指伸筋腱之附着部。循指背動脈。及頭靜脈。分布橈骨神經。

主治　頷腫喉痺。肩背上膊神經痛。齒痛。舌黄口乾。口眼喎斜。消化不良。食道狹窄。頭痛。

療法　針二分。留六呼。灸三壯。

附錄　此穴爲手陽明脈之所流爲榮水。

3 三間

位置　在第二掌骨端之凹陷處。即食指本節後陷中。去二間約一寸。

解剖　在固有示指伸筋腱之外緣。循指掌動脈及頭靜脈。分布橈骨神經。

主治　喉痹。咽塞。氣喘。口腔乾燥。下齒痛。眼瞼瘙痛。上膊神經痛。肩背神經痛。腸雷鳴。

療法　針三分。留三分。灸三壯。

附錄　此穴爲手陽明脈之所注爲兪木。

4 合谷

位置　在食指拇指凹骨間陷中。卽第一掌骨與第二掌骨中間之陷凹處。

解剖　在第一掌骨與第二掌骨之骨間中央部。長伸拇筋與總指伸筋之腱膜間。循橈骨動脈。分布橈骨神經。

主治　傷寒大渴。脉浮在表。發熱惡寒。頭痛脊强。風疹風熱。痎瘧。熱病汗不出。偏正頭痛。面腫。目翳。唇吻不收。瘖不能言。口噤不開。腰脊引痛。小兒乳蛾。一切齒痛。產後脈絕不還。鼻血。疥瘡。鼻塞。鼻痔。鼻淵。痢疾。

療法　鍼三分至五分。留六呼。灸六壯。孕婦禁鍼。

附錄　此穴爲手陽明脉之所過爲原穴。

5 陽谿

難產　針合谷　三陰交　崑崙　太谿　灸法至陰七壯

位置　在手腕橫紋之上側。兩筋間陷中。與合谷直。

解剖　在舟狀骨橈骨之間。橈腕關節外面之陷中。當短伸拇筋與長伸拇筋之間。循橈骨動脉。及頭靜脈。分布橈骨神經。及外膊皮下神經。

主治　熱病狂言。喜笑。掌中熱。目赤翳爛。頭痛。胸滿不得息。寒熱痎瘧。嘔沫喉痺。耳鳴。齒痛。驚掣肘臂不舉。痂疥。

療法。鍼二分。留七呼。灸三壯。

附錄　此穴爲手陽明脉之所行爲經火。

6 偏歷

位置　在腕後三寸。

解剖　在總指伸筋腱與拇指伸筋腱之間。循橈骨動脉。分布橈骨神經之後枝。及外膊皮下神經。

主治　耳鳴。喉痺。咽喉乾燥。衄血。齒痛。大人水蠱。

療法　針三分。留七呼。灸三壯。

附錄　此穴爲手陽明之絡。別走太陰。

7 溫溜

位置　去偏歷二寸餘。

解剖　在膊橈骨筋與長外橈骨筋之間。循橈骨動脈之分枝。分布橈骨神經。及外膊皮下神經。

主治　舌肥大。四肢腫。腸雷鳴。下腹痙攣。肘腕痠痛。

療法　針三分。留三分。灸三壯。

附錄　此穴爲手陽明郄。

8 下廉

位置　曲池之下四寸。

解剖　在橈骨小頭前下部。膊橈骨筋與長外橈骨筋之間。循橈骨動脈之分枝。分布橈

骨神經○及外膊皮下神經○

主治　瘈瘲○狂言○頭風○痺痛○小便血○小腸氣○下腹部痙攣○乳癰○喘息○心胸神節痛○主瀉胃中之熱○

療法　鍼三分至五分○灸五壯○

9 上廉

位置　手三里下三寸餘○

解剖　在橈骨小頭前下部○膊橈骨筋與長外橈骨筋之間○循尺骨動脉之分枝○分布尺骨神經○及外膊皮下神經○

主治　頭痛○咽痛○半身不遂○喘息○腸雷鳴○手足不仁○主瀉胃中之熱○

療法　鍼五分至七分深○灸五壯○

10 手三里

位置　曲池下二寸○按之肉起○銳肉之端○

解剖　在橈骨上緣之外部。膊橈骨筋與長外橈骨筋之間。下層有廻後筋。循橈骨動脈之分枝。及頭靜脉。分布橈骨神經之後枝。外膊皮下神經。

主治　中風。手足不遂。五癆虛乏。羸瘦。霍亂。失音。齒痛頰腫。瘰癧。手痺不仁。肘攣不伸。腰背痛。顏面神經痲痺。

療法　針三分。灸五壯。

顏

11 曲池

位置　在肘外輔骨之陷中。屈肘橫紋頭。

解剖　在上膊骨之外上髁。與橈骨之關節部。深部有膊橈骨筋。循返迴橈骨動脉。分布橈骨神經之分岐部。外膊皮下神經。

主治　傷寒振寒。餘熱不盡。胸中煩滿。熱渴。目眩耳痛。瘰癧。喉痹不能言。瘈瘲癲疾。繞踝風。手臂紅腫。肘中痛。半身不遂。臂膊痛。筋緩無力。屈伸不便。皮膚乾燥。痂疥。婦人經水不行。

療法　以手拱至胸前取之。針五分至一寸。灸三壯至數十壯。

附錄　此穴爲手陽明之所入爲合土。又爲十三鬼穴之一。名曰鬼臣。治百邪癲狂。

12肘髎

位置　在曲池上稍外斜一寸。上膊骨外上髁陷中。

解剖　在膊橈骨筋之起始部。三頭膊筋外緣。循返迴橈骨動脈。及中頭靜脈。分布膊皮下神經。

主治　上膊神經痛。肩膊部之關節僂痲質斯。上肢痲痹。肩胛部及臂部痲痹。

療法　針三分至五分。灸三壯。

13手五里　禁針

位置　在肘上三寸。

解剖　在上膊骨之外側。三頭膊筋外緣。深部爲螺旋狀溝之下部。循橈骨側副動脈。分布後膊皮下神經。及橈骨神經。

主治　肺炎。腹膜炎。吐血。咳嗽。前膊神經痛。瘰癧。四肢麻痺。

療法　禁鍼。灸三壯至十壯。

14 臂臑　禁鍼

位置　肩髃下三寸。

解剖　在上膊骨之外側。三角筋停止部。循後廻旋上膊動脈及頭靜脈。分布腋窩神經。及後膊皮下神經。

主治　上膊神經痛。顱頂部諸筋痙攣。瘰癧。

療法　以手舉平取之。禁針。灸七壯至百壯。

15 肩髃

位置　肩尖下寸許。髆陷中。舉臂有空陷。

解剖　在肩峯突起與上膊骨大結節及鎖骨之關節部。三角筋上緣之中央。循後廻旋上膊動脈及腋窩靜脈。分布腋窩神經。鎖骨上神經。及肩胛上神經。

主治　中風。偏風半身不遂。肩臂筋骨痠痛。不能上頭。傷寒作熱不已。四肢熱。瘰癧。主瀉四肢之熱。

療法　鍼六分。留六呼。灸偏風不遂自七壯至七七壯止。不可過多。多則使臂細。

16 巨骨　一說禁鍼

位置　肩端之上。鎖骨與肩胛骨相連之間。陷中。

解剖　在肩骨棘與鎖骨外端之間。上層爲三角筋。下層爲棘上筋之集合部。循肩胛動脉分枝及腋窩靜脉。分布腋窩神經及肩胛上神經。前胸廓神經。

主治　上膊部痲痺疼痛。肩臂屈伸不能。喘息。胃出血。

療法　一說禁鍼。灸三壯至七壯。

17 天鼎

位置　離甲狀軟骨三寸五分。再下一寸。即頸筋下。

解剖　在胸鎖乳嘴筋之後緣濶頸筋中。循橫頸動脉及外頸靜脉。分布下頸皮下神經。

並鎖骨上神經。筋下有迷走神經幹。下行胸腔內。

主治　扁桃腺炎。咽喉炎。舌骨筋痲痺。

療法　鍼三分。灸三壯。

18 扶突

位置　去甲狀軟骨三寸。天鼎上前一寸。人迎後一寸五分。

解剖　在甲狀軟骨之外後部。胸鎖乳嘴筋之中。循橫頸動脉。分布下頸皮下神經。大耳神經。及迷走神經之徑路。

主治　咳嗽。唾液分泌過多。急性舌骨諸筋痲痺。喘息。

療法　針三分灸三壯。仰而取之。

19 禾髎　禁灸

位置　鼻孔之下。水溝旁五分。

解剖　在上顎骨犬齒窩部。鼻翼下掣筋起始部。方形上唇筋中。循下眼窩動脉及顏面静脉。分布三叉神经之二枝。下眼窩神經等。

主治 急性鼻加答兒。鼻腔閉塞。嗅能減退。衄血。鼻瘖。咬筋痙攣。

療法 針二分。禁灸。

20 迎香

位置 鼻窪外五分。禁灸

解剖 在上顎骨犬齒窩之上方。鼻翼下掣筋中。循下眼窩動脈。分布顏面神經及三叉神經之枝別。下眼窩神經。

主治 急性鼻加答兒。鼻孔閉塞。嗅能減退。顏面神經麻痺。顏面組織炎。鼻瘖。息肉。耳聾。

療法 鍼二分至三分。禁灸。

第五 手太陽小腸經

凡十九穴左右共卅八穴

、手太陽小腸經經穴分寸歌

小指端外爲少澤。前谷外側節前筧。節後捏拳取後谿。腕骨腕前骨陷側。銳骨下陷陽谷討。腕後銳上筧養老。支正腕後五寸量。小海肘端五分好。肩貞胛下兩筋解。臑兪大骨下陷保。天宗秉風後骨中。秉風髎外舉有空。曲垣肩中曲胛陷。外兪去脊三寸從。中兪二寸大椎旁。天窗扶突後陷詳。天容耳下曲頰後。顴髎面頄銳端量。聽宮耳中大如菽。此爲小腸手太陽。

少澤

位置　小指之外側。去爪甲如韭葉。

解剖　在第五指骨第三節外側爪甲之發生根部。總指伸筋腱之停止部。有外轉小指筋。循尺骨動脈之指背枝。分布尺骨神經之指背枝。

主治　扁桃腺炎。咳嗽。前膊神經痛。頸項神經痙攣。白膜翳。婦人無乳。耳聾不得眠。凡初中風卒暴昏沉。痰涎壅盛不省人事。急以三稜針刺少商。商陽。中衝

〇少衝〇少澤出血〇乃起死回生之妙穴也〇

療法　鍼一分〇留一呼〇灸一壯〇

附錄　此穴爲手太陽脈所出爲井〇

2 前谷

位置　小指外側本節之前之端凹處〇

解剖　在第五指骨第一節基底〇第五掌骨之關節部前內側〇短小指屈筋之旁〇有外轉小指筋〇循指背動脈〇分布尺骨神經之分枝〇

主治　癲疾〇耳鳴〇頸項頰腫引耳後〇扁桃腺炎〇鼻塞〇前膊神經痛〇乳閉〇熱病無汗〇

療法　鍼一分〇灸一壯〇

附錄　此穴爲手太陽脈之所流爲滎水〇

3 後谿

位置 小指外側本節後陷中。

解剖 第五掌骨外側部之前下方。短小指屈筋之旁。有外轉小指筋。循指背動脈。分布尺骨神經之分枝。

主治 痎瘧寒熱。白膜翳。衄血。耳聾。癲癇。肘臂痙攣。五指盡痛。頸項痙攣。回顧不能。盜汗。黃疸。

療法 鍼三分。留三呼。灸一壯。握拳取之。適當掌尖。

附錄 此穴爲手太陽脉所注爲俞木。

4 腕骨

位置 在腕豆骨側之旁側。即手外側腕前起骨下陷中。

解剖 在第五掌骨腕骨之間。外尺骨筋之停止部。於外轉小指伸筋中。有豆骨掌骨韌帶。循腕骨背側動脈。分布尺骨神經之分枝。

主治 熱病汗不出。脅下痛不得息。頸項腫。臂肘不得屈伸。驚風。五指攣掣。手腕痛。黃疸。

療法　鍼二分。留三呼。灸三壯。

附錄　此穴爲手太陽脉之所過爲原。

5 陽谷

位置　手之外側。腕中銳骨下。陷中。

解剖　在尺骨莖狀突起之下際。固有小指筋之內部。循腕骨背側動脉。分布尺骨神經之手背枝。

主治　癲疾發狂。妄言左右顧。熱病汗不出。肋間神經痛。頰頷組織炎。耳鳴。耳聾。齒齦炎。小兒搐搦。舌强。

療法　鍼二分。留三呼。灸五壯。

附錄　此穴爲手太陽脉之所行爲經火。

6 養老

位置　手之踝骨上一空。腕上一寸。
解剖　在尺骨茎狀突起之正中部。外尺骨筋腱側。循腕骨背側動脈。分布尺骨神經。
主治　肩臂神經痙攣及麻痺。視力減退。
療法　屈手取之。則骨開而孔露。鍼二分至三分。灸三壯。
附錄　此穴爲手太陽郄。

7 支正

位置　腕後五寸。
解剖　在尺骨後面之中央。外尺骨筋中。循骨間動脉。分布尺骨神經及中膊皮下神經。後下膊皮下神經。
主治　精神病。腦神經衰弱。上膊神經痛。臂肘痙攣。手指疼痛。握手不能。暈眩。
療法　鍼三分。灸三壯。
附錄　此穴爲手太陽之絡脉別走少陰者。

8 小海

位置　肘之大骨外廉。去肘之端五分。

解剖　在上膊骨與尺骨之中間。鶯嘴突起之後側。尺骨筋起始部。循下尺骨副動脈。分布尺骨神經之主幹。

主治　頸骨部組織炎。肩膊肘臂諸筋神經痛及痙攣。聽覺器麻痺。齒齦炎。五癇瘈瘲。

療法　以手屈肘向頭取之。針三分。灸三壯。

附錄　此穴爲手太陽脉所入爲合土。

9 肩貞

位置　在肩峯突起後側之下。下直腋縫。

解剖　在肩峯突起後下方一寸之所。卽肩峯突起與上膊骨之關節部。上層爲三角筋後緣。下層有棘下筋。循後廻旋上膊動脈。分布肩胛上神經及腋下神經。

主治　四肢麻痹。肩胛部疼痛。耳鳴。耳聾。

療法　針五分。灸五壯。

10臑兪

位置　肩貞上一寸。橫外開八分。

解剖　在肩胛骨關節窩之後方。三角筋中。循橫肩胛動脈。分布腋窩神經。

主治　肩胛部及上膊部疼痛。頸頷部腫痛。

療法　鍼五分至八分。灸三壯。舉臂取之。

附錄　此穴爲手太陽陽維陽蹻之脉之會。

11天宗

位置　在肩貞斜上一寸七分。橫內開一寸。

解剖　在肩胛骨之棘下筋部。淺層有僧帽筋。循橫肩胛動脉。分布肩胛上神經。及副神經。

主治　肩項痙攣及麻痺。上膊部疼痛。上肢上舉不能。

療法　鍼三分。灸三壯。

12 秉風

位置　在肩上小顒後舉臂有空。

解剖　在肩胛棘起始部之上際。即僧帽筋部。下層爲棘上筋之集合部。循橫肩胛動脉。分布肩胛下神經及副神經。

主治　肩胛部痙攣及麻痺。上膊部疼痛。

療法　針五分。灸七壯。

13 曲垣

位置　肩之中央。曲胛陷中。按之應手痛。

解剖　在肩胛棘隅之上際。有僧帽筋及肩胛擧筋。循橫肩胛動脉。分布肩胛上神經。及副神經。

主治　肩胛部痙攣○上膊部疼痛○

療法　針五分○灸五壯○

14 肩外腧

位置　肩胛之上廉○去脊三寸○

解剖　第二肋骨後端之上緣○有僧帽筋○項長肋筋○後上鋸筋○及菱形筋○循橫頸動脉○分布背椎神經○副神經○後胸廓神經○

主治　肩胛部神經痙攣○上膊部痳痹及厥冷○

療法　針五分○灸五壯○

15 肩中腧

位置　肩胛之內廉○大椎旁二寸○

解剖　在第一胸椎棘上突起之兩側○有僧帽筋菱形筋○循上肋間動脉○及肩胛動脉之分枝○分布肋間神經分枝○肩胛背神經及背椎神經之後枝○

主治　氣管枝炎。視力缺乏。喘息。

療治　針三分。灸十壯。

16 天窗

位置　在耳下二寸。大筋間。

解剖　在胸鎖乳嘴筋之前方。循外頸動脈及內頸動脈。分布鎖骨上神經。及下頷皮下神經。

主治　頸部及肩胛部痙攣。頰頷炎。耳聾。

療法　鍼三分。灸三壯。

17 天容

位置　耳下。頰車後二寸。頸筋間。

解剖　在胸鎖乳嘴部。耳下腺存在部。循後頭動脈。內頸靜脈。分布大耳神經及副神經。

主治　頸項部發生腫物。回顧不能。耳鳴。耳聾。舌下軟瘤。(重舌)
療法　鍼五分。灸三壯。

18 顴髎　禁灸

位置　在面顴骨下廉。陷中。
解剖　在顴骨筋起始部。有笑筋。循橫顏面動脉。分布下眼窩神經。咬筋神經。及顏面神經之頰枝。
主治　顏面神經麻痺及痙攣。上齒神經痛。眼瞤不止。
療法　針三分。禁灸。

19 聽宮

位置　耳前小尖瓣下角面之中央。珠子旁。
解剖　在咬筋附着部之後緣。循耳前動脈。分布顏面神經及三叉神經。
主治　耳鳴。耳聾。嘶嗄失聲。

療法　針三分。灸三壯。

第六　手少陽三焦經

凡廿三穴　左右共四十六穴

三焦經經穴分寸歌

無名指外端關衝。液門小次指陷中。中渚液上止一寸。陽池手表腕陷中。外關腕後方二寸。腕後三寸支溝容。支溝横外取會宗。空中一寸用心攻。腕後四寸三陽絡。四瀆肘前五寸着。天井肘外大骨後。骨罅中間一寸摩。肘後二寸清冷淵。消濼對液臂外落。(臑貿下二寸)臑會肩前三寸量。肩髎臑上陷中央。天髎毖骨陷内上。天牖天容之後旁。翳風耳後尖角陷。瘈脈耳後鷄足張。顱息亦在青絡上。角孫耳角上中央。耳門耳曲前起肉。和髎耳前鋭髮鄉。欲知絲竹空何在。眉後陷中仔細量。

1 關衝

位置　無名指外側。去爪甲如韭葉。

解剖　在第四指骨第三節之外側。爪甲之發生根部。即總指伸筋之附着部。有固有小指筋。循手背動脈。分布尺骨神經之手骨枝。

主治　頭痛。三焦邪熱。口乾。喉痺。霍亂。肘臂神經痛。角膜白翳。凡初中風。卒仆昏沉。痰涎壅盛。不省人事。牙關緊閉。藥水不下。急以三稜針刺各井穴出血。乃起死回生救急之妙穴。

療法　針一分。留三呼。灸三壯。

附錄　此穴爲手少陽三焦經脈之所出爲井金。

2 液門

位置　小指次指之間合縫處陷中。

解剖　在環指第一節與第二節之中間。小指之側。總指伸筋腱中。循第四骨間指背動脈。分布尺骨神經。

主治　肘臂部痙攣。不能上下。頭痛。耳聾。咽外腫。齒齦炎。

療法　針三分。灸三壯。握拳取之。

附錄　此穴爲手少陽脉之所流爲榮水。

3 中渚

位置　在無名指小指本節後間陷中。

解剖　在第四掌骨之前下方。小指側之骨間陷中。循第四骨間指動脉。分布尺骨神經。

主治　熱病汗不出。臂肘神經痛。五指屈伸不能。頭痛。耳聾。咽喉腫痛。角膜白翳。腰背痛。

療法　針三分。灸三壯。握拳取之。

附錄　此穴爲手少陽脉之所注爲兪木。

4 陽池　不宜灸

位置　手背之側腕之上横紋陷中。

解剖　在尺骨與腕骨之關節部。有總指伸筋。循腕骨背側動脉。分布後下膊皮下神經

○尺骨神經○及橈骨神經後枝○

主治　糖尿病○間歇熱○腕關節炎○

療法　針三分。不宜灸○

附錄　此穴爲手少陽脉之所過爲原○

5 外關

位置　腕後二寸○

解剖　在總指伸筋與固有小指伸筋之間○循後骨間動脉○分布後下膊皮下神經○及橈骨神經之後枝○

主治　耳聾○肘臂神經痛○五指痛不能握○

療法　針三分○灸三壯○

附錄　此穴爲少陽脉絡別走心主厥陰脉○　又爲八法脉穴之一○

6 支溝　一名飛虎穴

位置　在陽池後三寸。兩筋骨間陷中。

解剖　在橈骨與尺骨之間。總指伸筋與外尺骨之間。循骨間動脉。分布後下膊皮下神經。及正中神經。

主治　熱病汗不出。上膊神經痛。四肢不舉。霍亂。嘔吐。常習便秘。急性舌骨筋痙攣。產後血暈不省人事。肋間神經痛。

療法　針三分。灸七壯。

附錄　此穴爲少陽脈之所行爲經火。

7 會宗．禁針

位置　腕後三寸。支溝之旁。偏小指面一寸。

解剖　在尺骨筋固有小指伸筋之間。有總指伸筋。循後骨間動脉。分布橈骨神經之分枝。及後下膊皮下神經。

主治　聽覺器麻痺。皮膚疼痛。

療法　禁針。灸三壯。

8 三陽絡　禁鍼

位置　腕後四寸。

解剖　在橈骨與尺骨之間。總指伸筋與小指伸筋之陷中。下層有長屈拇筋短屈拇筋。循骨間動脈。分布橈骨神經之後枝。及下膊皮下神經。

主治　耳聾。下齒神經痛。

療法　此穴禁針。灸三壯。

9 四瀆

位置　肘後五寸。

解剖　在橈骨與尺骨之間。總指伸筋與外尺骨筋之間。循骨間動脈。分布橈骨神經之後枝。及下膊皮下神經。

主治　耳聾。下齒痛。

療法　針五分。灸三壯。

10 天井

位置　肘外。大骨之上一寸。

解剖　在上膊之後面。鶯嘴突起之上方。三頭膊筋腱之內緣。循肘關節動靜脉網。分布內膊皮下神經。及尺骨神經。

主治　氣管枝炎。唾膿不嗜食。憂鬱症。癲疾。五癇。頸項神經痛。瘰癧。瘡腫疹。

療法　針三分。灸三壯。

附錄　此穴爲手少陽脈之所入爲合土。

11 清冷淵

位置　肘上二寸。

解剖　在上膊之後側。鶯嘴突起之尖端上方。三頭膊筋內緣。循下尺側副動靜脉。分布內膊皮下神經。及尺骨神經。

主治　肩胛部痙攣。上肢痙攣及痲痺。

療法　針三分。灸三壯。

12 消濼

位置　在臑會下二寸。

解剖　在上膊骨結節之後下方。螺旋狀溝部。有三頭膊筋。循橈骨動靜脉。中頭靜脉分布後膊皮下神經。及橈骨神經。

主治　頸項部組織炎及痙攣痲痺。肩胛部諸筋痙攣。

療法　針五分。灸三壯。

13 臑會

位置　肩頭下三寸。

解剖　在上膊後面之上部。即三角筋停止部之外緣。下層有三頭膊筋。循後迴旋上膊動脉及中頭動脉。分布後膊皮下神經。

主治　前膊諸筋痙攣及麻痺。頸項部血瘤。瘰癧。
療法　針五分。灸五壯。
14肩髃
位置　肩之端。兩骨之間。
解剖　在肩胛骨肩峰突起之下際。即上膊骨與鎖骨之關節部。上層爲三角筋。下層爲棘下筋集合部。循前廻旋上膊動脈。及腋下靜脈。分布腋窩神經。及肩胛上神經。
主治　肩胛部及上肢痙攣。
療法　針七分。灸三壯。
15天髎
位置　肩井後一寸
解剖　在肩胛骨之上部。有僧帽筋及棘上筋。循橫肩胛動脈。分布肩胛上神經。及副神經。

主治　頸項部痙攣。頸項部厥冷。

療法　針三分。灸三壯。

附錄　此穴爲手足少陽陽維之會。

16 天牖・禁灸

位置　在風池下一寸微外些。

解剖　在顳顬骨乳嘴突起之後下部。胸鎖乳嘴筋停止部之後緣。循後頭動脉之分枝。分布小後頭神經及頸椎神經。

主治　顏面浮腫。頸項部痙攣。

療法　針一寸。留七呼。禁灸。若灸之則面腫眼合。

17 翳風

位置　在耳根後。距耳約五分之陷凹處。按之通耳中。

解剖　在耳下腺部之微上。乳嘴突起。與下顎枝之中間。咬筋部陷凹中。循顳顬動脈。分布大耳神經。淺顳顬神經之小枝。當顏面神經耳下腺叢。

主治　耳聾。口眼喎斜。口噤不開。頰頷腫。暴瘖不能言。瘰癧。

療法　針三分。灸三壯。

18 瘈脉　禁灸

位置　在翳風上一寸。稍近耳根。

解剖　在顳顬骨部。有顳顬筋。耳後筋。循耳後動脉。分布淺顳顬神經。及耳後神經。

主治　頭痛。耳鳴。小兒搐搦。嘔吐。下痢。

療法　針一分。出血如豆汁。禁灸。

19 顱息　禁灸

位置　在瘈脉上一寸餘。青絡脉中。

解剖　顳顬骨部。有顳顬筋。耳後筋。循耳後動脉。分布淺顳顬神經。及耳後神經。

主治　耳鳴○癲癇○身熱頭痛不得臥○
療法　針此穴脉絡微出血○禁灸○

20 角孫　不宜針

位置　耳殼上角之陷凹處○以指按之○口開闔時○指下覺牽動○
解剖　在耳翼上角之上際○顳顬筋中○循顳顬動脉○耳前動脉○分布淺顳顬神經○
主治　角膜白翳○齒齦炎○唇吻强硬○頸項强○
療法　灸三壯○不宜針○

21 耳門

位置　耳前小尖瓣之前○稍陷處○
解剖　在顳顬筋部○循顳顬動脉○分布淺顳顬神經○
主治　耳鳴○耳聾○耳瘡○上齒痛○唇吻强硬○
療治　針三分○灸三壯○

22 和髎　禁灸

位置　在耳前。銳髮之下。

解剖　在顳顬骨下端。與顴骨之關節部。耳前筋起始部也。循淺顳顬動脈。分布顏面神經之顳顬枝。

主治　頭痛。耳鳴。顏面神經痙攣及麻痺。頸頷部組織炎。

療法　針三分。禁灸。

23 絲竹空　禁灸

位置　眉毛稍外端陷中。

解剖　在前頭骨眉弓突起部。前頭筋起始部。循淺顳顬動脈。分布顏面神經之顳顬枝。

主治　眼球充血。角膜白翳。頭痛。暈眩。顏面神經麻痺。倒毛內刺。牙疼。

療法　針三分。灸禁。

第七　足太陰脾經

凡廿一穴左右共四十二穴

足太陰脾經經穴分寸歌

太趾內側端隱白。節前陷中求大都。太白核前白肉際。節後一寸公孫呼。商邱踝前陷中逢。踝上三寸三陰交。踝上六寸漏谷是。膝下五寸地機朝。膝下內側陰陵泉。血海膝臏上內廉(上二寸)箕門穴在魚腹取。動脈應手越筋間。衝門橫骨兩端同。去腹中行三寸半。衝上七分府舍求。舍上三寸腹結算。結上寸二是大橫。却與臍平莫胡亂。中脘之旁四寸取。便是腹哀分一段。中庭旁五食竇穴。膻中去六是天谿。再上寸六胸鄉穴。周榮相去亦同然。大包腋下有六寸。淵腋之下三寸半。

1 隱白

位置　足大趾內側端。去爪甲如韭葉。

解剖　在第一趾第二節之末端內緣。爪甲之發生根部。外轉拇筋之腱膜中。循指背動脉。分布淺腓骨神經。及內足蹠神經。

主治　腹膜炎。急性腸加答兒。下肢厥冷。月經過多。小兒痙攣。失神。

療法　針一分。留三呼。禁灸。現有於虛脫時灸之而見效無碍者。

附錄　此穴爲足太陰脉之所出爲井木。

2 大都

位置　足大趾內側本節之前。

解剖　在蹲趾第一節之前。外轉蹲筋停止部。循足背動脉。分布腓骨神經之足蹠枝。

主治　熱病汗不出。不得臥。身重骨痛。四肢腫痛。傷寒手足逆冷。胃痙攣。直腹筋痙攣。腰痛。小兒痙攣。子宮出血。便秘。霍亂。

療治　針三分。留七呼。灸三壯。

附錄　此穴爲足太陰脉之所流爲滎火。

3 太白

位置　足大趾本節後。

解剖　在第一蹠骨末端之內側。楔狀骨結節之下陷凹中。有外轉拇筋。循足背動脈。分布脛骨神經之足蹠枝。

主治　胃痙攣。嘔吐。消化不良。便秘。腸疝痛。腸出血。腰痛。下肢疼痛及痲痺。痔疾。

療法　針二分至四分。留六呼。灸三壯。

附錄　此穴爲足太陰之所注爲俞土。

4 公孫

位置　在足大趾本節後一寸。

解剖　在第一蹠骨與第二楔狀骨之關節內側。有外轉蹈筋及長伸蹈筋。循足背動脈。分布薔薇神經。

主治　心臟炎。肋膜炎。胃癌。嘔吐。食慾減退。下腹痙攣。腸出血。頭部及顏面浮腫。癲癇。水腫腹脹如鼓。心痛。

療法　針四分。灸三壯。

附錄　此穴爲足大陰之絡。別走陽明者。又爲八法穴之一。

5 商丘

位置　在內踝骨下微前陷凹中。

解剖　在內踝前下部之陷凹中。十字靭帶之下側。前脛骨筋與長伸蹠筋之腱間。循內跗骨動脉。分布脛骨神經。

主治　胃痛。腹部膨脹。腹鳴。便秘。痔疾。消化不良。黃疸。陰股內痛。小腹疼痛不可俯仰。脚面痛。

療法　針三分。留七呼。灸三壯。

附錄　此穴爲足太陰脉之所行爲經金。

6 三陰交　孕婦禁針

位置　在內踝上除踝三寸。骨下陷中。

解剖　在脛骨後內側。後脛骨筋與長總趾屈筋之間。循後脛骨動脉。分布薔薇神經。脛骨神經。

主治　食慾減退。消化不良。腹部膨脹。腸疝痛。腹鳴。下痢。四肢厥冷及倦怠。下肢疼痛及麻痺。尿閉。痔疾。小兒遺尿。陰莖疼痛。遺精。早洩。月經過多。子宮出血。產後腦貧血。婦人生殖器病。脚氣。血壓亢進。中風卒厥。不省人事。膝內廉痛。足痿不行。女人難產。死胎不下。月水不禁。赤白帶下。小腸疝氣。偏墜。木腎腫痛。渾身浮腫。鶴膝。

療法　針三分。留七呼。灸三壯。姙娠不可針。

附錄　此穴為足太陰厥陰少陰之會。昔有宋太子善醫術。逢一姙婦。診曰是一女。徐文伯診曰此一男一女也。太子性急。欲剖視之。文伯曰臣請針之。瀉足三陰交。補手合谷。應針而落。果如文伯之言。

7 漏谷 禁灸

位置 三陰交上三寸。骨下陷中。

解剖 在下腿中央之內側。比目魚筋部。循後脛骨動脉之分枝。分布蔷薇神經。脛骨神經。

主治 膝痺脚冷不仁。腹鳴。腹部膨脹。小腹痛。

療法 針三分。禁灸。

8 地機

位置 在膝下五寸。內側。

解剖 在脛骨內緣。有比目魚筋。循後脛骨動脉分枝。分布脛骨神經。蔷薇神經。

主治 腹鳴。腹部膨脹。消化不良。

療法 針三分。灸三壯。

9 陰陵泉

位置　膝下內輔骨下陷中。

解剖　在下腿內側之上位。脛骨頭之關節窩。比目魚筋與腓腸筋三角腔。二頭股筋之之附着部。循後脛骨動脈。分布薔薇神經。脛骨神經。

主治　霍亂寒熱。胸膜炎。消化不良。腰痛不可俯仰。尿閉。小便不禁。遺精。遺尿。鶴膝。水腫。

療法　針五分。留七呼。灸三壯。屈足取之。

附錄　此穴爲足太陰之所入爲合穴。

10 血海

位置　在膝盖骨上內廉二寸。

解剖　在大腿骨前內下部。有內大股筋。循膝關節動脈。分布內股皮下神經。及股神經。

主治　女子崩中漏下。月經不順。子宮出血。子宮內膜炎。腎臟風。兩腿瘡癢濕不可當。

療法　針三分。灸五壯。

11 箕門　禁針

位置　血海之上六寸。動脉應手。

解剖　在大腿骨內部。有縫匠筋。薄股筋。及內大股筋。循股動脉。分布皮下神經。閉鎖神經。股神經。

主治　淋疾。尿閉。鼠蹊腺炎。遺尿。

療法　禁針。灸三壯。

12 衝門

位置　曲骨旁三寸半。

解剖　在腸骨前上棘之內下方。即腸骨窩。當鼠蹊皺溝之中外端相近之所。內外斜腹之下部。有腸腰筋膜。循下腹壁動脉之分枝。分布腸骨鼠蹊神經。

主治　帶下產崩○上腹部厥冷○乳腺炎○
療法　針七分○灸五壯○

13府舍

位置　腹結之下三寸○去中行三寸半○
解剖　在恥骨軟骨接合部與腸骨前上棘中間稍上方○卽衝門之上七分之所○右方當盲腸之下部○在內外斜腹筋中○循淺腹壁動脉分枝○分布腸骨下腹神經○右當盲腸部之下部○左當S字狀部之下部○
主治　脾臟炎○霍亂○盲腸炎○
療法　針七分○灸五壯○

14腹結

位置　大橫下一寸三分○
解剖　在內外斜腹筋部○循淺腹壁之分枝○分布腸骨下腹神經○及腸骨鼠蹊神經之

分枝。內蓄小腸。

主治　腹膜炎。腸神經痛。腹中冷却。下痢。

療法　針三分。灸五壯。

15大橫

位置　臍旁四寸。

解剖　在內外斜腹筋部。循淺腹壁動脈之分枝。分布腸骨下腹神經。

主治　四肢痙攣。慢性下痢。

療法　針三分。灸三壯。

16腹衰

位置　建里旁四寸。

解剖　在內外斜腹筋部。循上腹壁動脈。分布肋間神經穿行枝。內部左容胃臟。右與肝臟下緣接近。

主治　胃痙攣○胃部冷却○消化不良。便血○

療法　針三分至七分○灸五壯○

17 食竇

位置　乳根旁二寸○

解剖　在第五肋骨間與第六肋骨間○有內外肋間筋及大胸筋。循長胸動脉○分布側胸廓神經○及肋間神經之側穿行枝○

主治　肺充血○加答兒性肺炎○肋間神經痛。

療法　針四分。灸五壯。舉臂取之○

18 天谿

位置　乳頭旁二寸○

解剖　在第四肋骨與第五肋骨間○有前大鋸筋○大胸筋○內外肋間筋○循長胸動脉。分布前胸廓神經○及肋間神經之側穿行枝○

主治　肺充血。加答兒性肺炎。

療法　針四分。灸五壯。仰而取之。

19 胸鄉

位置　膺窗之旁二寸。

解剖　在第三肋骨與第四肋骨筋。有前大鋸筋。大胸筋。內外肋間筋。循長胸動脈分布前胸廓神經。及肋間神經之側穿行枝。

主治　肺充血。胸脊痙攣。

療法　針四分。灸五壯。仰而取之。

20 周榮

位置　屋翳之旁二寸。

解剖　在第二肋骨與第三肋骨間。有大胸筋。前大鋸筋。內外肋間筋。循長胸動脈。分布前胸廓神經。及肋間神經之側穿行枝。

主治　食道狹窄。肺充血。

療法　針四分。灸五壯。仰而取之。

21 大包

位置　淵腋下三寸。

解剖　在側胸部第六肋骨與第七肋骨間。前大鋸筋中。循長胸動脈。分布肋間神經之側穿行枝。內容肺臟。但右側與肝臟接近。

主治　肺內膜炎。喘息。肋膜炎。肋間神經痛。

療法　針三分。灸三壯。

附錄　此穴爲脾之大絡。四肢百節皆縱者補之。

第八足少陰腎經

凡廿七穴左右共五十四穴

腎經經穴分寸歌

足掌心中是湧泉。然谷踝前大骨邊。太谿踝後跟骨上。照海踝下四分安。水泉谿下一寸覔。大鐘跟後踵筋間。復溜踝上前二寸。交信踝上二寸連。二穴只隔筋前後。太陰之後少陰前。築賓內踝上五寸。陰谷膝下內輔邊。横骨大赫並氣穴。四滿中注亦相連。五穴上行皆一寸。中行旁開五分邊。肓俞上行亦一寸。俱在臍旁半寸間。商曲石關陰都穴。通谷幽門五穴纏。上下俱是一寸取。各開中行半寸前。步廊神封靈墟穴。神藏或中俞府安。上行寸六旁二寸。俞府璇璣二寸觀。

1 湧泉

位置　足心陷中。曲足踡趾取之。

解剖　在拇趾根膨隆部之後外側。長屈拇筋之外側。短總趾屈筋之內側。循後脛骨動脈之末枝。內足蹠動脈。分布脛骨神經之末枝。內足蹠神經。

主治 尸厥面黑。咳嗽有血。嗄嘶失聲。心臟炎。心悸亢進。男子如蠱。女子如娠。急性扁桃腺炎。霍亂轉胞不得尿。腰痛大便難。轉筋足脛寒痛。五趾盡痛。足不踐地。子宮痙攣。肺癆。五癇。小腸氣痛。糖尿病。黃疸。頭痛。

療法 針三分。灸三壯。

附錄 此穴爲足少陰脈之所出爲井木。

2 然谷

位置 內踝之前。高骨之下。

解剖 在舟狀骨與楔狀骨之關節部。外轉蹞筋與長屈蹞筋附着部之間。循後脛骨動脈。分布脛骨神經。及內足蹠神經。

主治 主瀉腎臟之熱。咽喉炎。流涎。嘔吐。子宮脫出。不姙症。小兒強直痙攣。

療法 針三分。灸三壯。

附錄　此穴爲足少陰脉之所流爲榮火。

3 太谿

位置　在內踝後五分。動脉陷中。

解剖　在內踝與跟骨之中間。陷中。循後脛骨動脉。分布脛骨神經之分枝。

主治　熱病汗不出。傷寒手足逆冷。咽腫。腹痛。横隔膜痙攣。便秘。子宮痙攣。嘔吐。齒痛。

療法　針三分。灸三壯。

附錄　此穴爲足少陰脉之所注爲俞土。

4 大鐘

位置　足跟後踵中。太谿下五分。

解剖　在阿氏利氏腱（即腓腸筋及比目魚筋之下端。附着跟骨强大之腱）之內側。陷中。有長腓骨筋。循後脛骨動脉。分布脛骨神經之分枝。

廣州西湖路流水井簽江承印

主治　氣逆煩悶○小便淋閉○便秘○嗜臥○心悸亢進○嘔吐○食道狹窄○癡呆○
療法　針二分○灸三壯○
附錄　此穴爲足少陰絡○別走太陽○

5 照海

位置　在內踝下一寸○陷中○
解剖　在跟骨與舟狀骨之間○陷中○外轉拇筋中○循後脛骨動脈○分布脛骨神經○
主治　咽喉乾燥○四肢倦怠○大風偏枯○半身不遂○腹疝痛○便秘○子宮脫出○月經不調○胞衣不下○七疝○
療法　令人穩坐○足底相對○在內踝骨下赤白肉際陷中○針三分○灸七壯○
附錄　此穴爲陰蹻脉所出○

6 水泉

位置　太谿下一寸○

解剖　在跟骨結節之內側前上凹陷部。有長伸蹠筋。及外轉拇筋。循後脛骨動脉。分布脛骨神經。

主治　月經不通。來卽多。心下悶痛。

療法　針四分。灸四壯。

附錄　此穴爲足少陰郄。

7 復溜

位置　內踝上二寸。

解剖　在脛骨後部。有後脛骨筋。及長總趾伸筋。分布淺在腓骨神經。

主治　痔疾。便秘。腰脊痛不可俯仰。腹痛。水腫病。十種水腫。下肢痲痺。盜汗過多。脚氣。

療法　針三分。灸五壯。

附錄　此穴爲足少陰之脈所行爲經金。

廣州西湖路流水井珠江承印

8 交信

位置 內踝上二寸。與復溜並立。在復溜之前。

解剖 在脛骨後部。有後脛骨筋。及長總趾伸筋。循復脛骨動脉。分布淺在腓骨神經。

主治 淋疾。大小便難。子宮出血。子宮脫出。月經不調。小腹痛。盜汗。水腫病。

療法 針四分。灸五壯。

附錄 此穴爲陰蹻脉之郄。

9 築賓

位置 內踝上五寸。三陰交上二寸。後開一寸二分。

解剖 在比目魚筋與腓腸筋下垂部之境。循腓骨動脈。分布脛骨神經。

主治 精神病。胎毒。比目魚筋痙攣。

療法 針三分。灸五壯。

附錄　此穴爲陰維之郄。

10 陰谷

位置　膝內輔骨之後。大筋之下。

解剖　在脛骨內關節踝之內緣後部。有半腱様筋。及半膜様筋。循膝膕動脉分枝。分布膝膕神經。股神經。及脛骨神經。

主治　大腿內側部疼痛。膝關節炎。大腹膨脹。臍腹痛。子宮出血。

療法　針四分。灸五壯。屈膝取之。

附錄　此穴爲足少陰脉之所入爲合水。

11 橫骨

位置　大赫下一寸。曲骨之旁五分。

解剖　在耻骨之上部。當直腹筋部。循下腹壁動脉。分布腸骨鼠蹊神經。

主治　五淋。小便不通。腰痛。

療法　針三分。灸五壯。

附錄　此穴爲足少陰衝脈之會。

12大赫

位置　氣穴之下一寸。中極之旁五分。

解剖　在耻骨之上部。直腹筋部。循下腹壁動脈。分布腸骨鼠蹊神經。

主治　陰萎。陰莖痛。精液缺乏。遺精早洩。女子赤帶。

療法　針三分。灸五壯。

13氣穴

位置　四滿下一寸。關元之旁五分。

解剖　在耻骨之上方。直腹筋部。循下腹壁動脈。分布腸骨鼠蹊神經。

主治　腎臟炎。腰背痙攣。月經不調。膀胱痲痺。

療法　針三分。灸五壯。

14 四滿

位置 在中注之下一寸。石門之旁五分。

解剖 在耻骨之上方。直腹筋部。循下腹壁動脉。分布腸骨下腹神經。

主治 腸疝痛。月經不調。子宮痙攣。

療法 針三分、灸三壯。

15 中注

位置 肓俞下一寸。陰交旁五分。

解剖 在耻骨之上方。直腹筋部。循下腹壁動脉。分布腸骨鼠蹊神經。

主治 便秘。月經不順。卵巢炎。

療法 針五分。灸五壯。

16 肓俞

位置 商曲下二寸。神闕旁五分。

解剖　在臍之兩旁。直腹筋部。循下腹壁動脈。分布肋間神經前穿行枝。
主治　胃痙攣。常習便秘。腹痛。五淋。
療法　針五分。灸五壯。

17 商曲

位置　石關下一寸。下脘旁五分。
解剖　在直腹筋部。有横腹筋。內外斜腹筋。循上腹壁動脈。分布肋間前穿行枝。
主治　胃痙攣。腹膜神經痙攣。食慾減退。眼球充血。
療法　針五分。灸五壯。

18 石關　孕婦禁灸

位置　陰都下一寸。建里旁五分。
解剖　在直腹筋部。有横腹筋。內外斜腹筋。循上腹壁動脈。分布肋間神經前穿行枝。

主治　胃痙攣。嘔吐。便祕。不妊症。
療法　針一寸。灸三壯。孕婦禁灸。

19陰都

位置　通谷下一寸。中脘旁五分。
解剖　在上腹部有直腹筋。橫腹筋。內外斜腹筋。循上腹壁動脈。分布肋間神經前穿行枝。
主治　肺氣腫。腸鳴。消化不良。
療法　針五分。灸三壯。

20通谷

位置　在幽門下一寸。上脘旁五分。
解剖　在上腹部直腹筋內緣。循上腹壁動脈。分布肋間前穿行枝。
主治　嘔吐。消化不良。

廣州西湖路流水井珠江承印

療法　針五分。灸三壯。

21 幽門

位置　巨闕旁五分。

解剖　在上腹部直腹筋內緣。循上腹壁內緣。分布肋間神經前穿行枝。

主治　胸膜神經痙攣。嘔吐。流涎。消化不良。

療法　針三分。灸五壯。

22 步廊

位置　中庭旁二寸。神封下一寸六分。

解剖　在第五第六肋骨間。有大胸筋。循肋間動脈。內乳動脈。分布肋間神經及前胸廓神經。內容肺臟。

主治　胸脅神經痛。嘔吐。氣管枝炎。

療法　針三分。灸五壯。仰而取之。

23 神封

位置　膻中旁二寸。靈墟下一寸六分。

解剖　在第四第五肋骨間。循肋間動脉。內乳動脉。分布肋間神經及前胸廓神經。內容肺臟。

主治　胸膂神經痛。肋膜炎。

療法　針五分。灸五壯。仰而取之。

24 靈墟

位置　玉堂之旁二寸。神藏之下一寸六分。

解剖　在第三第四肋骨間。有大胸筋。循肋間動脉。內乳動脉。分布肋間神經。及前胸廓神經。內容肺臟。

主治　肋膜炎。氣管枝炎。食慾減退。

療法　針三分。灸三壯。仰而取之。

25 神藏

位置 紫宮之旁二寸。彧中之下一寸六分。

解剖 第二第三肋骨間。有大胸筋。循肋間動脉。內乳動脉。分布肋間神經及前胸廓神經。內容肺臟。

主治 肺充血。氣管枝炎。肋膜炎。

療法 針三分。灸五壯。仰而取之。

26 彧中

位置 華蓋之旁二寸。兪府下一寸六分。

解剖 第一第二肋骨間。有大胸筋。循肋間動脉。內乳動脉。分布肋間神經。及前胸神經。內容肺臟。

主治 嘔吐。食慾減退。肺充血。

療法 針四分。灸五壯。仰而取之。

27 俞府

位置　璣璇旁二寸○鎖骨下○

解剖　在大胸筋中○循鎖骨下動靜脈○及內乳動脈○分布前胸廓神經○鎖骨下神經○及肋間神經○

主治　肺充血○氣管枝炎○胸膜神經痛○氣喘○

療法　針三分○灸五壯○仰而取之○

第九足厥陰肝經

凡十四穴　左右共廿八穴

肝經經穴分寸歌

足大趾端名大敦○行間大趾縫中存○太衝本節後寸五○踝前一寸號中封○蠡溝踝上五寸是○中都踝上七寸中○膝關犢鼻下二寸○曲泉曲膝盡橫紋○陰包膝上方四寸○氣衝三寸下五里○陰廉衝上有二寸○急脈陰旁二寸半○章門臍旁季肋端○肘尖盡處側

廣州西湖路流水井森江承印

臥取○期門乳下二肋端○旁距不容寸五量○

1 大敦

位置　大趾之外側○去爪甲如韮葉○

解剖　在第一趾骨第二節之外側○爪甲之發生根部○即短伸蹈筋腱中。循趾背動脉。分布趾骨神經之終枝○

主治　心痛汗出○上腹部及臍部膨脹又冷却○五淋七疝○糖尿病○陰莖痛○子宮脫出月經過多○子宮出血○失神○便秘○小腸氣痛○

療法　針一分○灸三壯○

附錄　此穴爲足厥陰脈之所出爲井木○

2 行間

位置　大趾次趾合縫後五分○動脉陷中○

解剖　在第一及第二蹠骨間腔○內轉蹈筋之附着部○循趾背動脉○分布淺在腓骨神經

○及內足蹠神經。

主治 腦貧血○腹膜炎○中風口喎○心悸亢進○遺尿○便秘○月經過多○白濁○小腹腫○腰痛○小兒急性搐搦○夜盲○糖尿病○鶴膝○

療法 針三分○灸二壯○

附錄 此穴爲足厥陰肝脉所溜爲榮火。

3 太衝

位置 足之大趾本節後二寸○

解剖 在第一第二蹠骨與第一楔狀骨關節之前部○長伸蹈筋與短伸蹈筋之間○循趾背動脉○分布淺在腓骨神經○及內足蹠神經○

主治 虛癆嘔血○嘔逆○胸脅神經痛○下腹痙攣○大小便難○陰痛遺溺○小便淋瀝○閉經○子宮出血○產後出汗不止○鼻塞○七疝○偏墜○腰痛○

療法 針三分○灸三壯○

廣州西湖路流水井珠江承印

附錄　此穴爲肝脉所注爲俞土。

4 中封

位置　內踝前一寸。屈足見踝前下面有陷凹處便是。

解剖　在第一楔狀骨內側。舟狀骨節之上部。前脛骨筋腱之外側。循前內踝動脉。及前脛骨動脉之枝別。內蹠骨動脉。分布大薔薇神經。及深腓骨神經。

主治　痎瘧。淋疾。大便難。小便痛。下肢冷却。食慾減退。陰縮入小腹相引痛。行步艱難。

療法　針四分。灸三壯。

附錄　此穴爲足厥脉肝脉所行爲經金。

5 蠡溝

位置　內踝之上五寸。

解剖　在脛骨之內面。有脛骨筋及比目魚筋。循後脛骨動脉。分布脛骨神經。

主治　腸神經痛。下腹痙攣。心悸亢進。下肢痲痺。腰背痛。月經不調。
療法　針三分。灸三壯。
附錄　此穴為足厥陰絡別走少陽者。

6 中都

位置　內踝之上七寸。脛骨體之後緣之下。
解剖　在脛骨部。有脛骨筋。循脛骨動脉分枝。分布脛骨神經。
主治　少腹痛。足脛寒不能行立。婦人崩中。產後惡露不絕。
療法　針三分。灸五壯。

7 膝關

位置　犢鼻之下二寸。向裏橫開寸半之間陷中。
解剖　在脛骨內側之上部。有腓腸筋。循膝關節動脉及脛骨動脉。分布脛骨神經。及薔薇神經。

主治　膝關節疼痛。不可屈伸。

療法　針四分。灸五壯。

8 曲泉

位置　膝內輔骨之下。橫紋頭。曲膝取之。

解剖　在脛骨內關節踝下際。半腱及半膜樣筋之停止部。循膝關節動脈。分布脛骨神經。及薔薇神經。

主治　腸神經痛。陰股神經痛及痙攣。胸腹部痙攣。四肢神經痛。不可屈伸。洩痢膿血。膝痛筋攣。陰門腫痛。子宮脫出。七疝。

療法　針七分。灸三壯。

附錄　此穴爲足厥陰脉所入爲合水。

9 陰包

位置　膝上四寸。股內廉兩筋間。

解剖　在大腿內側上踝上方。四頭股筋之內緣。循股動脉及上外膝關節動脉。分布內股皮下神經。

主治　腰臀部痙攣。下肢痙攣。尿閉。月經不順。

療法　針六分。灸三壯。

10足五里

位置　陰廉之下一寸。

解剖　在耻骨突起下端。長內轉股筋之內緣。循外陰部動脈。分布股神經及閉鎖神經。

主治　四肢不能舉。尿閉。

療法　針六分。灸三壯。

11陰廉

位置　去氣衝二寸。陰股皺襞之中。

解剖　在恥骨突起之下端。內轉筋之內緣。循外陰部動脈。分布股神經及腰鼠蹊神經。

主治　不姙症、子宮後屈症。

療法　針六分。灸三壯。

12 急脉　禁針

位置　陰器之旁開二寸五分。陰毛之中。

解剖　在鼠蹊窩。普派爾篤氏韌帶之下部。即直腹筋停止部。循淺廻旋腸骨動脉及下腹壁動脈。分布腸骨下腹神經。及腸骨鼠蹊神經。

主治　小腹痛。

療法　灸三壯。禁針。

13 章門

位置　季肋之端與臍直。

解剖　在側腹部第十一肋軟骨前端。內外斜腹筋中。循横隔動脉。分布肋間神經側穿行枝。

主治　腸雷鳴。消化不良。胸脇痛。嘔吐。喘息。腰椎神經痛。不得轉側。黃疸。

療法　針六分。灸六壯。

附錄　此穴爲脾之募穴。

14 期門

位置　臍上六寸。旁開三寸半。

解剖　在第九肋軟骨附着部之尖端。當第八肋間乳腺部。循上腹壁動脉。分布肋間神經側穿行枝。

主治　傷寒胸中煩熱。奔豚上下。目青而嘔。霍亂瀉痢。肋膜炎。喘息。泄瀉。腹膜炎。難產。

療法　針四分。灸五壯。

廣州西湖路流水井珠江承印

第十足陽明胃經

凡四十五穴左右共九十穴

足陽明胃經經穴分寸歌

胃之經兮起頭維。神庭旁開四五尋。下關耳前動脉經。頰車耳下曲頰存。承泣目下七分中。四白目下一寸從。巨髎鼻孔旁八分。地倉俠吻四分近。大迎頷前寸三分。人迎喉旁寸五眞。水突筋前迎下在。氣舍突下穴相乘。缺盆舍外橫骨內。相去中行四寸明。氣戶璇璣旁四寸。至乳六寸又四分。庫房屋翳膺窗近。乳中正在乳頭心。次有乳根出乳下。各一寸六不相侵。却去中行須四寸。以前穴道與君陳。不容巨闕旁二寸。却近幽門寸五新。其下承滿與梁門。關門太乙滑肉門。上下一寸無多少。共去中行二寸尋。天樞臍旁二寸間。樞下一寸外陵安。樞下二寸大巨穴。樞下三寸水道全。水下一寸歸來好。氣衝歸來下一寸。共去中行二寸邊。髀關膝上有尺二。伏兔膝上六寸是。陰市膝上方三寸。梁邱膝上二寸記。膝臏陷中犢鼻存。膝下三寸三里至。膝下六寸上廉穴。膝下七寸條口位。膝下八寸下廉看。下廉之旁豐隆係。却是踝上八寸量。解谿跗上繫鞋處。衝陽跗上五寸喚。陷谷庭後二寸間。內庭次趾外間陷。厲兌大次趾外端。

1 頭維 禁灸

位置 在額角入髮際。去神庭旁四寸五分。

解剖 在前頭骨與顱頂骨縫合部。有前頭筋。循顳顬動脉之前枝。分布顏面神經之顳顬枝。

主治 頭風疼痛如破。目痛如脫。淚液過多。腦充血。前額神經痛。顏面神經麻痺。

療法 針三分。禁灸。

2 下關 禁灸

位置 耳前骨下。陷中。開口有空。張口則閉。

解剖 在下顎骨髁上突起之前方。顴骨方下端。有顳顬筋及咀嚼筋。循橫顏面動脈。

廣州西湖路流水井珠江承印

分布顏面神經之顴骨枝。及三叉神經。

主治　下顎脫臼。顏面神經麻痺。耳鳴。耳聾。

療法　針三分。不可久留針。禁灸。

3 頰車

位置　曲頰上端近前陷中。耳下一寸左右。

解剖　在下顎骨隅角之前上方。咬筋存在。循外顎動脈及咬筋動脈。分布顏面神經之分枝。下顎皮下神經及咬筋神經。

主治　顏面神經痛。斷嗄失聲。頷頰炎。頸部諸筋神經痛。或收縮。回顧不能。半身或全身不遂。頷頰部咀嚼不能。

療法　針三分。灸三壯至七七壯。炷小麥大。

4 承泣　禁針禁灸

位置　目下七分。直對瞳子。

解剖　在下眼窩之下緣。眼輪匝筋中。循下眼窩動脉。分布顏面神經並三叉神經之第二枝。加下眼窩神經。

主治　夜盲。口眼喎斜。

療法　禁針禁灸可以四白穴代之。

5 四白　禁灸

位置　承泣下一寸。直對瞳子。

解剖　在下眼窩之直下。當上顎之上緣。方形上唇筋中。循下眼窩動脉。分布顏面神經及三叉神經。即下眼窩神經。出下眼窩孔之邊相當之處。

主治　頭痛眩暈。瞳子搔癢。角膜白翳。顏面神經痙攣。

療法　針二分。若深即令人目烏色。禁灸。

6 巨髎　禁灸

位置　鼻孔之旁八分。

解剖　在上顎與顴骨之中間。方形上唇筋中。當齒齦部。循下眼窩動脈。分布顏面神經三叉神經之枝別。
主治　唇頰腫痛。顏面神經痛及痲痺。綠內障（青盲）近視。
療法　針三分。禁灸。

7 地倉

位置　口吻之旁四分。
解剖　在口輪匠筋部。循外顎動脈之枝別。上下唇動脈。分布顏面神經。
主治　顏面神經痛及痲痺。不能遠視。由口眼關係之諸筋痙攣或收縮。言語不能。頰腫。流涎。
療法　針三分。灸七壯至七七壯。病左治右。病右治左。艾炷宜小。過大則口反喎。却灸承漿即愈。

8 大迎

位置　下顎隅前一寸三分。

解剖　在第二大臼齒之下部。三角頤筋及咬筋存在處。當外顎動脉之通路。分布顏面神經下行枝。及下顎神經。

主治　顏面痙攣。唇吻痙攣。口噤不開。齒痛。頸部神經痙攣。

療法　針三分。灸三壯。

9 人迎　禁灸

位置　在結喉之旁一寸五分。

解剖　在胸鎖乳嘴筋之前緣深部。有咽頭及喉頭。循外頸動脉。深部通內頸動脉。分布舌下神經ト行枝。及上頸皮下神經。當迷走神經徑路之附近。

主治　咽喉癰腫。喘呼不得息。

療法　此穴仰而取之。針二三分。過深則殺人。禁灸。

10 水突

位置　在人迎下。氣舍上。
解剖　在甲狀軟骨下緣之外方。胸鎖乳嘴筋之前緣。循外頸動脈深部。通內頸動脈。分布舌下神經下行枝。及上頸皮下神經。當迷走神經徑路之附近。
主治　咽喉癰腫。喘息。百日咳。
療法　仰而取之。針三分。灸三壯。

11 氣舍

位置　人迎直下。天突旁。陷中。
解剖　喉頭環狀軟骨正中之兩旁一寸五分。胸鎖乳嘴筋之兩頭間。即自鎖骨與胸骨突起之兩頭間。循深部總頸動脈。分布下頸皮下神經及副神經。
主治　氣管枝炎。喘息。
療法　針三分。灸三壯。

12 缺盆　孕婦禁針

位置　結喉旁。鎖骨中部之陷凹中。
解剖　在大胸筋及濶頸筋。循鎖骨下部動靜脉。分布下頸皮下神經。及鎖骨上神經。
主治　傷寒胸中熱不已。胸膜炎。
療法　針三分。過深令人逆息。孕婦禁針。

13 氣戶

位置　鎖骨下。兪府旁二寸。璇璣旁四寸。
解剖　在第一肋軟骨附着部。有大胸筋。小胸筋。及內外肋間筋。循鎖骨下動脉。第一肋間動脉。分布前胸廓神經。及鎖骨下神經。內容肺臟。
主治　胸背部痙攣。咳逆。肋膜炎。
療法　針三分。灸三壯。仰而取之。

14 庫房

位置　氣戶下一寸六分。陷中。或中旁二寸。

解剖　在第一肋骨與第二肋骨之間。有大胸筋○小胸筋○及內外肋間筋○循肋間動脈○分布前胸廓神經○及肋間神經○內容肺臟○

主治　肺充血○氣管枝炎。肋膜炎○呼吸困難○

療法　針三分○灸三壯○仰而取之○

15屋翳

位置　庫房之下一寸六分○陷中○神藏之旁二寸○

解剖　第二肋骨與第三肋骨間。有大胸筋○小胸筋○及內外肋間筋○循前肋間動脈○分布前胸廓神經○及肋間神經○內容肺臟○

主治　咳嗽○唾血○胸膜炎○全身浮腫○全身痲痺○

療法　針三分。灸五壯○仰而取之○

16膺窗

位置　屋翳下一寸六分○靈墟之旁二寸○

解剖　在第三肋骨與第四肋骨之間○有大胸筋○小胸筋○內外肋間筋○循前肋間動脉分布前胸神經○及肋間神經○內容肺臟○

主治　肺充血○腸雷鳴○乳癰○

療法　仰而取之○針三分○灸五壯○

17 乳中　禁針禁灸

位置　當乳頭之正中○

解剖　在第四肋骨與第五肋骨間○有大胸筋○小胸筋○及內外肋間筋○循前肋間動脉○分布前胸廓神經○及肋間神經○內容肺臟○

主治　從畧

療法　禁針禁灸

18 乳根

位置　乳之下一寸六分○步廊之旁二寸○心尖搏動部○

解剖　在第五第六肋骨間。循前肋間動脈。分布前胸廓神經。及肋間神經。
主治　乳痛○乳癰○肋間神經痛及麻痺○霍亂轉筋○咳嗽○噎病。
療法　仰而取之○針三分○灸五壯○

19 不容

位置　幽門旁一寸五分○巨闕旁二寸○
解剖　當第八肋軟骨之下緣○有外斜腹筋○直腹筋○循上腹壁動脈○分布肋間神經穿行枝○
主治　肩脇部諸筋痙攣及收縮○咳嗽○唾血○嘔吐○消化不良○
療法　針五分。灸五壯○

20 承滿

位置　不容下一寸○上脘旁二寸○
解剖　當第八肋軟骨附着部之下部○有內外斜腹筋○及直腹筋○循上腹壁動脈○分布

肋間神經前穿行枝。

主治　腹部膨滿或冷却。腸鳴。咽下困難。唾血。

療法　針三分至八分。灸五壯。

21 梁門　孕婦禁灸

位置　承滿下一寸。中脘旁二寸。

解剖　在第八肋軟骨之下部。有外斜腹筋。及直腹筋。循上腹壁動脈。分布肋間神經側穿行枝。內容胃臟。

主治　食慾減退。胃痙攣。

療法　針三分至八分。灸七壯至廿一壯。孕婦禁灸。

22 關門

位置　梁門下一寸。建里旁二寸。

解剖　在第八肋軟骨下部。有外斜腹筋及直腸筋。循上腹壁動脈。分布肋間神經前穿行枝。內部爲橫行結腸。

主治　胃痙攣。消化不良。腸疝痛。遺尿。

療法　針五分。灸五壯。

23 太乙

位置　關門之下一寸。下脘旁二寸。

解剖　在小腸之上部。有外斜腹筋及直腹筋。循上腹壁動脉。分布肋間神經前穿行枝。

主治　癲狂。心外膜肥大。

療法　針八分。灸五壯。

24 滑肉門

位置　太乙下一寸。水分旁二寸。

解剖　在小腸部。有外斜腹筋及直腹筋。循上腹壁動脈。分布肋間神經前穿行枝。

主治　癲疾。胃痙攣。舌炎。舌膿腫。
療法　針八分。灸五壯。

25 天樞　孕婦禁針

位置　滑肉門之下一寸。神闕之旁二寸。
解剖　上層有外斜腹筋及直腹筋外緣。循下腹壁動脉。分布肋間神經側穿行枝。
主治　奔豚泄瀉。赤白痢。下痢不止。食不化。水腫腹脹。腸鳴。上氣衝胸。不能久立。久積冷氣。遶臍切痛。時上衝心。煩滿嘔吐。霍亂寒瘧不嗜食。身黃瘦。女人癥瘕。血結成塊。漏下。月水不調。淋濁帶下。水腫。
療法　針五分。灸五壯至百壯。孕婦不可針。
附錄　此穴爲手陽明大腸之募。

26 外陵

位置　天樞下一寸。陰交旁二寸。

解剖　在小腸部。有內外斜腹筋及直腹筋。循下腹壁動脉。分布肋間神經前穿行枝。腸骨下腹神經。

主治　直腹筋痙攣。下腹神經痛。

療法　針八分。灸五壯。

27 大巨

位置　外陵下一寸。石門旁二寸。

解剖　上層有外斜腹筋。當直腹筋外緣。循下腹壁動脉。分布腸骨下腹神經。及腸骨鼠蹊神經。

主治　尿閉。不眠症。

療法　針五分。灸五壯。

28 水道

位置　大巨下一寸。關元旁二寸。

解剖　在小腸部。有內外斜腹筋及直腹筋。循下腹壁動脉。分布肋間神經前穿行枝。腸骨下腹神經。
主治　睪丸炎。月經困難。水腫。
療法　針八分。灸五壯。

29 歸來

位置　水道下一寸。中極旁之二寸。
解剖　內部容腸。與膀胱接近。循下腹壁動脉分布腸骨下腹神經。
主治　七疝。陰丸上縮入腹。陰莖痛。卵巢炎。生殖器病。
療法　針八分。灸五壯。

30 氣衝

位置　歸來下一寸。曲骨之旁二寸。
解剖　在鼠蹊窩普派爾篤氏靭帶之中央下部。即直腸筋停止部。循淺迴旋腸骨動脉及

下腹壁動脉○分布腸骨下腹神經○及腸骨鼠蹊神經○

主治　陰莖痛○卵巢炎○產難○胞衣不下○

療法　針三分○灸七壯○

31 髀關

位置　膝上一尺二寸○

解剖　在腸骨前下棘之外下側○內有大腿骨○循大臀筋部之上臀動脉○分布外股皮下神經○閉塞神經○腰鼠蹊神經○

主治　腰痛○內外股筋痙攣○下肢麻痺○

療法　針六分○灸三壯○

32 伏兎　禁灸

位置　在膝上六寸○

解剖　在大腿骨之前外側○直股筋之外端○循外廻旋股動脈之分枝○分布外股皮下神

經。及股神經筋枝。

主治　膝盖部厥冷。脚氣。

療法　坐而取之。針五分。禁灸。

33 陰市

位置　在膝上三寸。

解剖　在大腿骨之前外側。有外大股筋。循外廻旋股動脉下行枝。分布外股皮下神經。及股神經枝筋枝。

主治　腰部大腿部膝盖部冷却及痲痹。不能屈伸。糖尿病。水腫。震顫痲痹。兩足拘攣。

療法　坐而取之。針三分。一說不可灸。一說可灸。

34 梁邱

位置　膝上二寸。

解剖　在大腿骨之前外側○有外大股筋○循外迴旋股動脉下行枝○分布外股皮下神經○及股神經分枝○
主治　膝盖部疼痛及麻痺。不可屈伸○乳房炎○
療法　針三分○灸三壯○
附錄　此穴爲足陽明之郄○

35 犢鼻　禁灸
位置　膝眼外側之陷凹處○
解剖　在脛骨上端之外側○卽膝蓋韌帶之外下側。循膝關節動脉網○分布股神經○脛骨及腓骨神經之關節枝○
主治　膝關節炎○膝蓋部疼痛及麻痺。脚氣○
療法　針三分至六分○禁灸。

36 足三里

位置　膝眼下三寸。脛骨體前緣之外一寸。

解剖　在脛骨上端與腓骨小頭關節部之下方。有前脛骨筋。與長總趾伸筋。循前脛骨動脉。及廻旋筋骨動脉。分布深腓骨神經。及脛骨神經。

主治　胃中寒。心腹脹痛。逆氣上攻。臟氣虚憊。胃氣不足。惡聞食臭。腹痛腸鳴。食不化。大便不通。腰痛膝弱。不得俯仰。小腸氣。脚氣。主瀉胃中之熱。五癆七傷。乳癰。霍亂。氣喘。五淋。耳鳴。鶴膝。水腫。尿閉。

療法　坐而垂膝取之。針五分。留七呼。灸三壯至百十壯。

附錄　此穴爲足陽明之所入爲合穴。

37 上巨虛

位置　足三里之下三寸。

解剖　在脛骨與腓骨之間。卽前脛骨筋與長總趾伸筋之間。循前脛骨動脉。分布深腓骨神經。

主治　脚氣。四肢麻痺。腸疝痛。消化不良。主瀉胃中之熱。

療法　針三分。灸三壯。

38 條口

位置　足三里下五寸。

解剖　在脛腓內骨之間。有長總趾伸筋。循前脛骨動脉。分布深腓骨神經。

主治　下肢麻痺。膝關節炎。

療法　針三分。灸三壯。

39 下巨虛

位置　足三里下六寸。

解剖　在脛腓兩骨之間。有長總趾伸筋。循前脛骨動脉。分布深腓骨神經。

主治　肋間神經痛。腦貧血。喉痺。下腹部痙攣。乳癰。主瀉胃中之熱。

療法　舉足取之。針三分。灸三壯。

40 豐隆

位置　外踝上八寸。

解剖　在腓脛兩骨之間。有長總趾伸筋。循前脛骨動脈。分布深腓骨神經。

主治　頭痛。面腫。喉痺不能言。肋膜炎。便秘。尿閉。下肢痙攣及痲痺。屈伸不便。痰多。喘息。

療法　針三分。灸三壯。

附錄　此穴爲足陽明絡別足太陰者。

41 解谿

位置　在足腕繫鞋帶處。內庭後六寸半。

解剖　在前脛骨筋之腱與長總趾伸筋腱之間。當環狀韌帶部。循前脛骨動脈。分布深腓骨神經。

主治　顏面浮腫。頭痛。暈眩。癲疾。腹脹。霍亂。便秘。又瀉胃熱。脚背痛。

療法　針三分。灸五壯。

附錄　此穴爲足陽明脉所行爲經火。

42 衝陽

位置　內庭之上五寸。足背最高之處。動脉中。

解剖　在足背之最高所。第二第三楔狀骨與第二第三蹠骨之關節部。當長伸蹲筋與短伸蹲筋之間。循足背動脉。分布淺腓骨神經。

主治　偏風面腫。口眼喎斜。傷寒發狂。振寒汗不出。行步艱難。

療法　針三分。留十呼。灸三壯。出血不止者死。

附錄　此穴爲足陽明脉所過爲原。

43 陷谷

位置　內庭之上二寸。

解剖　在第二第三蹠骨間之中央前端部。有短總趾伸筋腱。循前脛骨動脉之總枝。分布淺腓骨神經。及深腓骨神經。

主治　顏面浮腫。腸疝痛。腹鳴。

療法　針五分。灸三壯。

附錄　此穴爲足陽明脉之所注爲俞木。

44 內庭

位置　在次趾中趾之間。脚叉縫盡處之陷凹中。

解剖　在第二趾骨第一節之前外部。長及短總趾伸筋腱中。循第一骨間足背動脉。分布深腓骨神經。及淺腓骨神經。

主治　經痛。胃痛。衄血。齒痛。癔疾。霍亂。泄瀉。

療法　針三分。留五呼。灸三壯。

附錄　此穴爲足陽明脉所流爲滎水。

45 厲兌

位置 在足次趾外側。去爪甲角如韭葉。

解剖 在第二趾骨第三節之背面外側。爪甲之發生根部。當長總趾伸筋附着部。循前脛骨動脈之終枝。分布淺及深腓骨神經之末枝。

主治 失神。氣絕。水腫病。腹水。

療法 針一分。留一呼。灸一壯。

附錄 此穴爲足陽明脉所出爲井金。

第十一 足太陽膀胱經

凡六十七穴左右共一百三十四穴

膀胱經經穴分寸歌

足太陽是膀胱經。目內眥角始睛明。眉頭頭中攢竹取。眉冲直上旁神庭。曲差入髮五分際。神庭旁開寸五分。五處旁開亦寸半。細算却與上星平。承光通天絡却穴。

髮去寸五調匀看、玉枕夾腦一寸三。入髮三寸枕骨取。天柱項後髮際中。大筋外廉陷中獻。自此夾脊開寸五。第一大杼二風門。三椎肺俞厥陰四。心五督六椎下論。膈七肝九十胆俞。十一脾俞十二胃。十三三焦十四腎。氣海俞在十五椎。大腸十六椎之下。十七關元俞穴椎。小腸十八胱十九。中膂俞在二十椎。白環廿一椎下當。以上諸穴可推之。更有上次中下髎。一二三四腰空當。會陽陰尾尻骨旁。背部第二諸穴了。又從脊上開三寸。第二椎下爲附分。三椎魄戶四膏肓。第五椎下神堂尊。第六譩譆膈關七。第九魂門陽綱十。十一意舍之穴存。十二胃倉穴已分。十三肓門端正在。十四志室不須論。十九胞肓廿一秩。背部三行諸穴匀。又從臀下横扶紋取。承扶居下陷中央。殷門扶下方六寸。委陽膕外兩筋鄉。浮郄實居委陽上。相去只有一寸長。委中在膕約紋裏。此下二寸尋合陽。承筋合陽之下直。穴在腨腸之中央。承山腨下分肉間。外踝七寸側飛揚。跗陽外踝上三寸。崑崙後跟陷中央。僕參跟下脚邊上。申脉踝下五分張。金門申前墟後取。京骨外側骨際量。束骨本節後肉際。通谷節前陷中强。至陰却在小趾上。太陽之穴始週詳。

1 睛明　禁灸

位置　目內眥角外一分。宛宛中。

解剖　在眼輪匝筋中。有內眼瞼靭帶。循內眥動脈。分布三叉神經第一枝之滑車上神經。

主治　目痛，白翳。網膜炎。頭痛。流淚。夜盲。

療法　針一分。禁灸。

附錄　此穴爲手足太陽足陽明陰蹻陽蹻五脈之會。

2 攢竹　禁灸

位置　眉頭之陷中。

解剖　在前頭骨之下際。眉弓之內端部。有皺眉筋。循鼻前頭動脈。分布前頭神經。上眼窩神經。

主治　前額神經痛。眩暈。淚液過多。白翳。夜盲。

療法　針一分。禁灸。

3 眉衝

位置　在攢所直上。入髮際五分。神庭旁五分。

解剖　有前頭筋。前額動脈。顏面神經之顳顬枝。

主治　頭痛。目眩。鼻塞不聞香臭。

療法　針二分。灸三壯。

4 曲差

位置　神庭旁一寸五分。

解剖　在前頭骨部前頭筋。循鼻前頭動脈。分布前頭神經。

主治　鼻孔閉塞。衂血。頭痛。

療法　針二分。灸三壯。

廣州西湖路流水井森江承印

5 五處　禁灸

位置　曲差後五分。上星旁開一寸五分。

解剖　在前頭骨部。前頭筋中。循鼻背頭動脉。分布前頭神經。

主治　癲疾。頭痛。視力缺乏。背脊神經痛。

療法　針三分。禁灸。

6 承光　禁灸

位置　五處後一寸五分。

解剖　在前頭骨與顱頂骨之縫合部。有帽狀腱膜。循淺顳顬動脉。分布顏面經神之顳顬枝。

主治　頭痛。鼻塞。

療法　針二三分。禁灸。

7 通天

位置　承光後一寸五分。
解剖　在顱頂骨部、當顱頂結節之後內方。循顳顬動脈後枝。分布顏面節經之顳顬枝。
主治　頭旋項痛。不能轉側。鼻腔閉塞。衄血。三叉神經痛。口部諸筋收縮。
療法　針三分。灸三壯

8 絡却

位置　通天後一寸五分。
解剖　在顱頂骨與後頭骨聯接處。卽後頭筋停止部也。循後頭動脈分布大後頭神經。
主治　綠內障。耳鳴。
療法　針三分。灸三壯。

9 玉枕

位置　絡却後一寸五分。

解剖　在後頭骨部。有後頭筋。循後頭動脉。分布大後頭神經。
主治　眼球神經痛。近視眼。嗅能減退。頭痛。
療法　針二分。灸三壯。

10天柱

位置　頸之大筋外廉。去風府七分。
解剖　在後頭骨之上。項線之下。當僧帽筋停止部之外側。循後頭動脈。分布大後頭神經。
主治　腦痛頭旋。鼻塞。頸後部痙攣。
療法　針二分。灸三壯。

11大杼

位置　第一胸椎之下。橫開一寸五分。陶道之旁。
解剖　在第一胸椎棘上突起之兩旁。上層爲僧帽筋。下層爲菱形筋。及後上鋸筋。循

横頸動脉下行枝○分布脊椎神經之後枝○及胸廓神經。肋間神經○與僧帽筋副神經○

主治　傷寒汗不出○項筋收縮○腰背筋痙攣。癲疾○膝關節炎○小腸氣痛○瘧疾○

療法　針三分○不宜灸○

12 風門

位置　第二胸椎之下旁開一寸五分○

解剖　在第二及第三胸椎横突起間之外側○有菱形筋○及後上鋸筋○循肩胛背動脉○分布脊椎神經之後枝○

主治　傷寒頭痛項强目眩○喘息○身熱○黄疸○癰疽發背○傷風○衂血○氣管枝炎○能瀉一身熱氣○

療法　針五分○灸五壯○

13 肺兪

位置　第三胸椎之下。旁開一寸五分。身柱之旁。

解剖　在第三及第四胸椎橫突起間之外側。當僧帽筋及菱形筋與後上鋸筋中。循上肋間動脈。及橫頸動脈下行枝。分布副神經。及後胸廓神經。與背椎神經後枝。肋間神經等。

主治　肺結核。咳嗽。肺炎。肺出血。氣管枝炎。心臟麻痺。黃疸。腰背神經痛。小兒佝僂病。喘息。主瀉五臟之熱。

療法　針三分。灸三壯至數十壯。

14 厥陰俞

位置　第四胸椎之下。旁開一寸五分。

解剖　在第四及第五胸椎橫突起間之外側。有僧帽筋。菱形筋。後上鋸筋。薦背脊中筋。循肩胛背動脈。分布背椎神經之後枝。

主治　心臟肥大。嘔吐。

療法　針三分。灸七壯。

15 心俞

位置　第五胸椎之下。旁開一寸五分。神道之旁。

解剖　在第五及第六胸椎橫突起間之外側。有僧帽筋菱形筋。薦骨脊中筋。循後肋間動脈之背枝。及橫頸動脈下行枝。分布背椎神經後枝。及肋間神經。

主治　偏風。半身不遂。嘔吐。咳血。癲疾。發狂。健忘。遺精。主瀉五臟之熱。

療法　針三分。灸三壯。

16 督俞

位置　第六胸椎之下。去脊一寸五分。靈台之旁寸半。

解剖　第六及第七胸椎橫突起間之外側。有僧帽筋。薦骨椎柱筋。循後肋間動脈之背枝。分布背椎神經之後枝。

主治　心痛。腹痛。氣逆。

療法　正坐取之。灸三壯。

17 膈俞

位置　第七胸椎之下。去脊一寸五分。至陽之旁。

解剖　在第七及第八胸椎橫突起間之外側。有僧帽筋與薦骨脊柱筋。循後肋間動脉。分布背椎神經之後枝。

主治　心臟內外膜炎。心臟肥大。心臟麻痺。嘔吐。食道狹窄。四肢倦怠。熱病汗不出。腸出血。

療法　針三分。灸三壯。

附錄　此穴血之會也。凡屬血症均可針之灸之。

18 肝俞

位置　第九胸椎之下。去脊一寸五分。筋縮之旁。

解剖　在第九及第十胸椎橫突起間之外側。有僧帽筋。背長筋。濶背筋。肋骨舉筋。

薦骨脊柱筋。循後肋間動脈。分布背椎神經之後枝。右方深部容肝臟。

主治　主瀉五臟之熱。黃疸。眼目諸疾。生翳。氣管枝炎。肋間神經痛。胸骨部痙攣。

療法　針三分。灸三壯。

19 胆俞

位置　第十胸椎之下。去脊一寸五分。中樞之旁。

解剖　在第十及第十一胸椎橫突起間之外側。上層有僧帽筋。下層有濶背筋。循後肋間動脈之背枝。分布副神經及背椎神經後枝。與肋間神經。

療法：針三分，灸三壯。

治主　發熱。惡寒。胆囊疾患。黃疸。嘔吐。食道狹窄。肋膜炎。

20 脾俞

位置　第十一胸椎之下。去脊一寸五分。脊中之旁。

解剖　第十一及十二胸椎橫突起間之外側。有僧帽筋及薦骨脊柱筋。循後肋間動脈。

分布背椎神經之後枝○

主治　胃痙攣○胃出血○嘔吐○痲疾○消化不良○水腫○主瀉五臟之熱○

療法　針三分○灸三壯○

21 胃俞

位置　第十二胸椎之下○去脊一寸五分○

解剖　在第十二胸椎及第一腰椎橫突起間之中間○上層有濶背筋○下層有荐骨脊柱筋○循後肋間動脈之背枝○分布背椎神經之後枝○及肋間神經○內容腎臟○

主治　胃癌○胃痙攣○胃擴張○消化不良○嘔吐○泄瀉○腹痛膨脹○腸雷鳴○肝臟肥大○羸瘦○小兒痢下赤白○秋末脫肛肚痛不可忍○艾炷如大麥大○

療法　針三分○灸三壯○

22 三焦俞

位置　第一腰椎之下○去脊一寸五分○懸樞之旁○

解剖　在第一及第二腰椎棘狀突起間之外側○上層爲濶背筋○下層爲荐骨脊柱筋○及方形腰筋○循腰動脈之背枝○分布背椎神經之後枝○

主治　胃痙攣○消化不良○腰椎神經痛○婦人癥聚○

療治　針五分○灸三壯○

23 腎俞

位置　在第二腰椎下○去脊一寸五分○命門之旁○

解剖　在第二及第三腰椎橫突起間之外側○上層有腰背筋膜○下層有荐骨脊柱筋○及方形腰筋○循腰動脈之背枝○分布腰椎神經之後枝○

主治　虛癆羸瘦○面目黃黑○腎虛耳聾○腰痛○夢遺○精滑精冷○膝脚拘急○身熱頭痛○足寒如冰○身腫如水○男女久積氣痛○變成癆疾○膀胱麻痺及痙攣○痔疾○淋疾尿血○月經不調○赤白帶下○腸出血○主瀉五臟之熱○夜尿○

療法　針三分○灸三壯○

廣州西湖路流水井珠江承印

24 氣海俞

位置 第三腰椎之下。去脊一寸五分。

解剖 在第三及第四腰椎橫突起間之外側。有濶背筋。荐骨脊柱筋。循腰動脈之背枝。分布腰椎神經之後枝。

主治 腰痛。痔漏。

療法 針三分。灸三壯。

25 大腸俞

位置 在第四腰椎之下。去脊一寸五分。陽關之旁。

解剖 在第四及第五腰椎橫突起間之外側。有闊別筋。荐骨肩柱筋。大腰筋。循腰動脉背枝。分布腰椎神經之後枝。

主治 脊柱筋痙攣。腰椎神經痛。腹部膨脹。腸鳴瀉痢。腎臟炎。

療法 針三分。灸三壯。伏而取之。

26 關元俞

位置 在第五腰椎之下。去脊一寸五分。

解剖 在第五腰椎之下。與薦骨假棘狀突起間之外側。有薦骨脊柱筋。循腰動脉之枝。分布腰椎神經之後枝。

主治 腰痛。小便難。婦人癥瘕。

療法 針三分。灸三壯。伏而取之。

27 小腸俞

位置 在十八椎之下。薦骨上部。去脊一寸五分。上髎之旁。

解剖 在第一及第二薦骨假棘狀突起間之外側。第五腰椎橫突起薦骨翼之間。有腰背筋膜。薦骨脊柱筋。及方形腰筋。循腰動脉之背枝。分布薦骨神經。

主治 腸疝痛。淋疾。痔疾。子宮內膜炎。下痢。

療法 針三分。灸三壯。

28 膀胱俞

位置 第十九椎之下。去脊一寸五分。次髎之旁。

解剖 在第二及第三荐骨假棘狀突起間之外側。上層爲腰背筋膜。下層爲荐骨柱筋之起始部。循側荐骨動脉。分布腰椎神經之後枝。

主治 小便赤。遺尿。腰椎神經痛。荐骨神經痛。

療法 針三分。灸三壯。

29 中膂俞

位置 廿椎之下。去脊一寸五分。中髎之旁。

解剖 在第三第四荐骨假棘狀突起間之外側。有腰背筋膜。中臀筋。循上臀動脉。分布荐骨神經之後枝。

主治 糖尿病。腰神經痛。赤白痢。

療法 針三分。灸三壯。伏而取之。

30 白環俞

位置　廿一椎之下。去脊一寸五分。下髎之旁。

解剖　在荐骨裂孔之兩側。有大臀筋。及梨子狀筋。循下臀動脈。分布下臀神經。與荐骨神經之後枝。

主治　荐骨神經痛及痙攣。坐骨神經痛。尿閉。便秘。

療治　針三分。灸三壯。

31 上髎

位置　第十八椎之下。相去八分之第一空。直小腸俞。

解剖　在第一後荐骨孔部。有腰背筋膜。荐骨脊柱筋。循側荐骨動脈。分布荐骨神經之後枝。

主治　便秘。尿閉。坐骨神經痛。陰中瘙痛。子宮脫出。赤白帶下。

療法　針三分。灸三壯。

附錄　此穴爲足太陰少陽之絡。

32 次髎

位置　在第十九椎下。相去八分之第二空。直膀胱兪。

解剖　在第二後荐骨孔部。有腰背筋膜。荐骨脊椎筋。循側荐骨動脈。分布荐骨神經之後枝。

主治　尿閉。坐骨神經痛。膝蓋部厥冷。子宮內膜炎。淋疾。睪丸炎

療法　針三分。灸三壯。

33 中髎

位置　在第廿椎之下。相去七分之第三空。直中膂兪。

解剖　在第三後荐骨孔部。有腰背筋膜。荐骨脊柱筋。循荐骨動脈。分布荐骨神經之後枝。

主治　便秘。尿閉。腰痛。子宮內膜炎。月經不順。

療法　針三分○灸三壯○

附錄　此穴爲足厥陰少陽之會○

34 下髎

位置　在廿一椎之下○相去六分之第四空○

解剖　在第四後荐骨孔部○有腰背筋膜○荐骨脊柱筋○循側荐骨動脉○分布荐骨神經之後枝○

主治　便秘○尿閉○子宮內膜炎○腸出血○月經不順○

療法　針三分○灸三壯○

35 會陽

位置　尾閭骨下部之旁側○相去五分○陷中○

解剖　在尾閭骨下端之兩側○大臀筋之起始部○有肛門舉筋○肛門括約筋○循下痔動脉○分布會陰神經○

主治　泄瀉。腸出血。久痔。陰汗濕癢。

療法　針三分。灸三壯。

36附分

位置　第二胸椎之下。去脊三寸。風門之旁。

解剖　在第二胸椎棘狀突起下方兩旁三寸。第二肋骨之上緣。上層有僧帽筋。下層有菱形筋。循橫頸動脈及上肋間動脈。分布脊椎神經。及肋間神經。與後胸廓神經。副神經等。

主治　肩背神經痛。及痙攣。頸部痙攣。回顧不能。

療法　針三分。灸三壯

37魄戶

位置　第三胸椎之下。去脊三寸。肺兪之旁。

解剖　在第三及第四胸椎橫突起間之外方。有僧帽筋。菱形筋。循橫頸動脈。分布背椎神經後枝。

主治　肺萎縮。氣管枝炎。喘息。嘔吐。上膊部及肩背部之神經痙攣。主瀉五臟之熱。

療法　針三分。灸五壯

38 膏肓俞

位置　在第四胸椎之下去脊三寸。厥陰俞之旁。

解剖　在第四及第五胸椎横突起間之外方。有僧帽筋。及菱形筋。循横頸動脉下行枝。分布背椎神經後枝。

主治　百病皆療。肺結核。氣管枝炎。夢遺失精。健忘。嘔吐。癎疾。神經衰弱。痼羸瘦損。

療法　取此穴令病人正坐。曲脊伸兩手以臂着膝前。令正直。手大指與膝頭齊。從肩胛骨上角摸索至肩胛骨下角。其間有四肋三間。依甲骨之際。按其中空處。自覺索引肩中者是。針三分。灸三壯。至百數十壯。灸此穴可治肺結核。惟須補灸足三里。

39 神堂

位置 第五胸椎之下。去脊三寸。心兪之旁。

解剖 在第五及第六胸椎横突起間之外方。有僧帽筋。及菱形筋。循横頸動脉下行枝。分布肩胛背神經及肋間神經。

主治 心臟病。肩胛疼痛。

療法 針三分。灸五壯。

40 譩譆

位置 第六胸椎之下。去脊三寸。

解剖 在第六及第七胸椎横突起間之外方。有僧帽筋及菱形筋。循横頸動脉下行枝。分布肩胛背神經。及肋間神經。

主治　肩背部痙攣。心臟外膜炎。熱病汗不出。

療法　針五分。灸五壯

41膈關

位置　在第七胸椎之下。去脊三寸。膈俞之旁。

解剖　在第七及第八胸椎横突起間之外方。有僧帽筋及背腸肋筋。循横頸動脈。分布肩胛背神經。及肋間神經。

主治　背部痙攣。食道狹窄。

療法　針五分。灸五壯。

42魂門

位置　第九胸椎之下。去背三寸。肝俞之旁。

解剖　在第九及第十胸椎横突起間之外方。有濶背筋。循後肋間動脉背枝。分布背椎神經。及肋間神經。

廣州西湖路流水井森江承印

主治　心内膜炎。食道狭窄。腸雷鳴。主瀉五臟之熱。

療法　針五分。灸三壯。

43 陽綱

位置　第十椎之下。去脊三寸。胆俞之旁。

解剖　在第十及第十一胸椎橫突起間之外方。有濶骨筋。循後肋間動脉。分肩胛下神經。及肋間神經。

主治　腸鳴腹痛。食慾減退。

療法　針五分。灸五壯。

44 意舍

位置　在十一胸椎之下。去脊三寸。脾俞之旁。

解剖　在十一及十二胸椎橫突間之外方。有濶背筋。循後肋間動脉。分布肩胛下神經。及肋間神經。

主治　消化不良。大便泄。小便黄。主泻五臟之熱。
療法　針五分。灸七壯。

45 胃倉

位置　第十二胸椎之下。去脊三寸。胃俞之旁。
解剖　在第十及第十一胸椎及第一腰椎横突起間之外方。循後肋間動脉。分布肩胛下神經。及肋間神經。
主治　腹滿。水腫。惡寒。背脊痛。不可俯仰。便秘。主瀉五臟之熱。
療法　針五分。灸五壯。

46 肓門

位置　第十三椎之下。相去三寸。三焦俞之旁。
解剖　在第一及第二腰椎横突起間之外側。有方形腰筋。濶背筋。及荐骨脊柱筋。循腰動脉之背枝。分布腰椎神經後枝。

廣州西湖路流水井珠江承印

主治　便秘。乳腺炎。胃痙攣。

療法　針五分。灸五壯。

47 志室

位置　第十四椎下去脊三寸。腎兪之旁。

解剖　在第二及第三腰椎橫突起間之外方。有方形腰筋。及濶背筋。循腰動脈背枝。分布腰椎神經後枝。

主治　夢遺。失精。陰具神經痛。陰門膿腫。陰部諸瘡。腎臟炎。淋疾。消化不良。主瀉五臟之熱。

療法　針五分。灸三壯。

48 胞肓

位置　第十九椎之下。去脊三寸。膀胱兪之旁。

解剖　在第二及第三荐骨椎假橫突起之外方。有大臀筋小臀筋及梨子狀筋。循上臀動

脈○分布上臀神經下臀神經○及坐骨神經之後枝○

主治　腰背部疼痛○腸雷鳴○

療法　針三分○灸七壯○

49 秩邊

位置　第廿椎之下○去脊三寸○白環兪之旁○

解剖　在第二及三荐骨椎假横突起間之外方○有小臀筋○及梨子狀筋○循上臀動脈○分布上臀神經○下臀神經○及荐骨神經○

主治　痔疾○腰椎神經痛○

療法　針三分○灸三壯○伏而取之○

50 承扶　不宜灸

位置　直立之時在臀部高肉下垂之横紋中○委中之直上○

解剖　在臀下皺襞紋之中央○即大臀筋之下際○有大內轉股筋○循下臀動脈○分布下

臀神經後枝○及坐骨神經。

主治　腰背神經痛及痙攣。痔疾○坐骨神經痛○

療法　針五分。不宜灸●

51 殷門

位置　在承扶之下六寸○

解剖　在大腿後面之中央部○即二頭股筋與半模樣筋之間。循股動脉○分佈坐骨神經○

主治　腰背部疼痛○大腿焮衝部及痙攣○

療法　針五分○不宜灸○

52 浮郄

位置　委陽之上一寸○

解剖　在大腿後下部外側○二頭股筋內側○循膝膕動脉之分枝○分布膝膕神經。腓骨神經。

主治　下肢外側痲痺。便秘。霍亂轉筋。

療法　針五分。灸三壯。

53 委陽

位置　膕中外廉。兩筋之間。去承扶一尺二寸。

剖解　在二頭股筋之內側。循膝膕動脉。分布膝膕神經。腓骨神經。

主治　腰背部痙攣。膝膕窩神經痛。腓腸筋痙攣。下腹痙攣。癲癇。

療法　針七分。灸三壯。

附錄　此穴爲足太陽之別絡。

54 委中　禁灸

位置　當膝膕窩之正中。

解剖　大腿骨與下腿骨之關節部。腓腸筋之二頭間。循膝膕動脉。分布脛骨神經。

主治　腰背痛。喉痺。太陽瘧從背起先寒後熱。熇熇然汗出難已。頭重轉筋。半身不遂。遺溺。膝痛足軟無力。主瀉四肢之熱。熱病汗不出。小便難。衄血不止。虛汗。盜汗。

療法　針一寸五分。禁灸。

附錄　此穴爲足太陽脉之所入爲合土。

55 合陽

位置　委中下二寸。

解剖　在腓腸筋部。循後脛骨動脈。分布後脛骨神經。膝膕神經。

主治　腰背疼痛。下腹痙攣。腸出血。子宮出血。

療法　針五分。灸五壯。

56 承筋　禁針

位置　在合陽與承山之中間。卽腨腸之中央。

解剖　在腓腸筋部。循後脛骨動脉。分布後脛骨神經。
主治　腰背部痙攣。腓腸筋部痙攣及痳痺。便秘。霍亂轉筋。
療法　禁針。灸三壯。

57 承山

位置　委中下八寸。腨肉之間。
解剖　在腓腸筋部。循後脛骨動脉。分布後脛骨神經。
主治　橫痃。鼻血。癲疾。腹痛。痔疾。腰背痛。霍亂轉筋。戰慄不能行立。脚氣。破傷風。小兒痙攣。
療法　針七分。灸七壯。以足趾履地兩手按壁上取之。

58 飛揚

位置　外踝之上七寸。
解剖　腓骨之外側部。當腓腸筋之外緣。循腓骨動脉。分布腓骨神經。

主治　痔疾。歷節風不得屈伸。癲疾。

療法　針三分。灸三壯。

59 附陽

位置　外踝之上三寸。

解剖　在腓骨之外側部。有腓腸筋。循前腓骨動脉。分布深腓骨神經。

主治　霍亂轉筋。腰痛。大腿部神經痛。四肢痲痺。屈伸不能。

療法　針三分。灸三壯。

60 崑崙

位置　外踝之後五分。跟骨上陷中。

解剖　在外踝阿斯利氏腱之中央陷凹部。循後外踝動脉。分布淺腓骨神經。及脛骨神經。

主治　脚氣。足踝腫痛。不能步立。頭痛。肩背部痙攣。難產。胞衣不下。小兒瘈瘲。癃疾。陰門腫痛。失神。

療法　針三分。灸三壯。

附錄　此穴爲足太陽之脉所行爲經火。

61 僕參　不宜灸

位置　在崑崙直下足跟骨下。陷中。拱足取之。

解剖　在跟骨結節後下部之梢。偏於外側之所。卽阿斯利氏腱停止部之外側。循腓骨動脉之枝別。分布淺腓骨神經。及脛骨神經交通枝。

主治　膝關節炎。脚氣。腓腸筋及足蹠筋痲痺。

療法　針三分。不宜灸。

62 申脉　不宜灸

位置　外踝下五分陷中。

解剖　在外踝之微下。外轉小趾筋之上端。循腓骨動脉穿行枝。分布脛骨神經交通枝。

主治　腰部及下肢疼痛○脛骨部麻痺○頭痛。癲疾。膝關節炎○

療法　針三分。不宜灸○

附錄　此穴爲陽蹻脈之所生○又爲十三鬼穴之五○名曰鬼路○

63 金門

位置　外踝之下一寸○骨下陷中○

解剖　在外踝之前下方一寸。跟骨與骰子骨間陷凹部○短總趾伸筋中○循腓骨動脈穿行枝○分布腓骨神經交通枝○

主治　霍亂轉筋○尸厥○癲癇。小兒搐搦○膝蓋部麻痺○耳聾○癔疾○

療法　針三分○灸三壯○

附錄　此穴爲足太陽郄○

64 京骨

位置　足外側大骨下赤白肉際○

解剖　在足背與足蹠之境界部。骰子骨與第三蹠骨關節部之陷中。有外轉小趾筋。循足背動脉之分枝。分布外足蹠神經之深枝。

主治　腰痛。腦膜炎。癲疾。

療法　針三分。灸七壯。

附錄　此穴爲足太陽之脉所過爲原穴。

65 束骨

位置　小趾外側。本節之後。

解剖　在第五蹠骨之側前部。長總趾伸筋腱中。循足背動脉之分枝。分布外足蹠神經之深枝。

主治　癰。疽。疔。發背。項筋收縮。回顧不能。

療法　針三分。灸三壯。

附錄　此穴爲足太陽脈之所注爲兪木。

66 通谷

位置　小趾外側本節之前。
解剖　在第五趾第一節之前外側。長總趾伸筋腱中。循趾骨動脈。分布趾背神經。
主治　頭痛。眩暈。衄血。
療法　針三分。灸三壯。

67 至陰

位置　小趾端外側。去爪甲如韭葉。
解剖　在第五趾第三節之外側。爪甲之發生根部。長總趾伸筋附着部之外緣。循趾背動脈。分布趾背神經。
主治　頭痛。鼻孔閉塞。婦人橫產手先出。符藥不效爲灸右脚小指尖七壯。炷如小麥。下火立產。
療法　針一分。灸三壯。

附錄　此穴爲足太陽之脉所出爲井金。

第十二足少陽胆經　凡四十四穴　左右共八十八穴

胆經經穴分寸歌

外眥五分瞳子髎。耳前陷中聽會繞。上關上行一寸是。內斜曲角頷厭照。後門顱中釐下廉。曲鬢耳前髮際看。入髮寸半率谷穴。天衝耳後斜耳探。浮白下行一寸間。竅陰穴在枕骨下。完骨耳後入髮際。量得四分須用記。本神神庭旁三寸。入髮五分耳上繫。陽白耳上一寸許。上行五分是臨泣。臨後寸半目窗穴。後行相去寸半同。風池耳後髮際陷。肩井肩上陷解中。大骨之前寸半取。淵液腋下三寸逢。輒筋復前一寸行。日月乳下二肋縫。期門之下五分存。臍上五分旁九五。季肋俠脊是京門。季下寸八尋帶脉。帶下三寸五樞眞。維道章下五三定。章下八三居髎名。環跳髀樞宛中陷。風市垂手中指尋。膝上五寸是中瀆。陽關陽陵上三寸。陽陵膝下一寸任。陽交外踝上七寸

廣州西湖路流水井珠江承印

。外邱外踝七寸分。此係斜屬三陽洛。踝上五寸定光明。踝上四寸陽輔地。踝上三寸是懸鐘。邱墟踝下陷中立。邱下三寸臨泣存。臨下五分地五會。會下一寸俠谿呈。欲覓竅陰歸何處。小趾次趾外側尋。

1 瞳子髎　不宜灸

位置　目外眥之旁五分。

解剖　在顳顬部前頂骨之顴骨突起。與顴骨之前頭突起關節部之後際。眼輪匝筋中。循顴骨眼窩動脈。分布顏面神經之顴骨枝。及顳顬枝。

主治　頭痛。翳目青盲。顏面神經麻痺。

導法　針三分。不宜灸。

2 聽會

位置　耳前陷中。

解剖　在下顎骨顆狀突起與顳顬骨之間。循耳前動脈及內頸動脈。分布顏面神經。

主治　耳聾。耳鳴。顏面神經麻痺。下顎脫臼。
療法　針三分。灸三壯。

3 上關　禁針禁灸

位置　耳前起骨上廉。開口有空。
解剖　在顳顬骨與顴骨及蝴蝶骨之三骨關節部。有顳顬筋。循內顎動脈。分布顏面神經之顳顬枝。
主治　口眼喎斜。青盲。口角諸筋痙攣。
療法　禁針。禁灸。

4 頷厭

位置　頷角之下。顳顬上廉。
解剖　在前頭骨與顱頂骨縫合部。顳顬筋中。循淺顳顬動脈。分布顏面神經之顳顬枝。

主治 頭痛。眩暈。小兒搐搦。

療法 針一二分。灸三壯。

5 懸顱

位置 額角之下。顳顬之中。

解剖 在前頭骨顱頂骨之縫合部。顳顬筋中。循淺顳顬動脈。分布顏面神經之分枝。

主治 腦神經痛。偏頭痛。

療法 針二分。灸三壯。

6 懸厘

位置 額角之下。顳顬下廉。

解剖 在前頭骨與顱頂骨縫合部。顳顬筋中。循淺顳顬動脈。分布顏面神經之分枝。

主治 腦神經痛。面腫。

療法　針二分。灸三壯。

7 曲鬢

位置　耳上之髮際。

解剖　在顳顬骨與顱頂骨之關節部。顳顬筋中。循淺顳顬動脈。分布顏面神經之顳顬枝。

主治　頷頰腫。引牙車不得開。口噤不得言。項强不得回顧。

療法　針三分。灸三壯。

8 率谷

位置　耳上入髮際一寸五分。

解剖　在顱頂骨下端。顳顬筋中。循耳後動脈。分布顏面神經顳顬枝。

主治　顱頂部疼痛。後頭部及頸部痙攣。

療法　針三分。灸三壯。

9 天衝

位置　耳後下髮際二寸。

解剖　在上耳翼根之後上部。顳顬筋之上際。即蝴蝶骨乳樣縫合之前際。有耳上筋。
循耳後動脈。分布顏面神經之顳顬枝。

主治　癲疾。齒齦炎。

療法　針三分。灸三壯。

10 浮白

位置　耳後入髮際一寸。

解剖　在耳後。乳嘴突起間之上一寸。顳顬筋中。有耳上筋。循耳後動脈。分布顏面
神經之顳顬枝。

主治　耳聾。四肢麻痺。足不能行。

療法　針三分。灸三壯。

11 瘈陰

位置　在浮白下一寸。枕骨之下。

解剖　在乳嘴突起之後上部。即顳顬骨顱頂骨後頭骨三縫合部也。有耳後筋。循耳後動脉。分布耳後神經。

主治　三叉神經痛。耳鳴。癰疸。

療法　針三分。灸三壯。

12 完骨

位置　耳後入髮際四分。

解剖　在乳嘴突起之下端。胸鎖乳嘴筋附着部之上際。循耳後動脈。分布耳後神經。

主治　口裂筋萎縮。言語不正。

療法　針三分。灸三壯。

13 本神

位置　目外眥之上髮際五分。
解剖　在前頭部。有前頭筋。循顳顬動脉之前枝。及上眼窩動脉。分布三叉神經之分枝。
主治　癲癇。頸項部痙攣。
療法　針三分。灸三壯。

14陽白

位置　眉上一寸。直瞳子。
解剖　在前頭骨部。前頭筋中。循上眼窩動脈。分布上眼窩神經。
主治　夜盲。三叉神經痛。
療法　針二分。灸三壯。

15臨泣　禁灸

位置　目瞳之上。入髮際五分。

解剖　在前頭骨部。前頭筋中。循上眼窩動脈。分布上眼窩神經及顏面神經顳顬枝。
主治　淚液過多。眼目諸疾。癲癇。腦溢血。
療法　針三分。禁灸。

16 目窗

位置　臨泣後一寸。
解剖　在顱頂部帽狀腱膜中。循淺顳顬動脈之分枝。分布上眼窩神經。
主治　視力缺乏。顏面浮腫。眩暈。
療法　針三分。灸三壯。

17 正營

位置　目窗之後一寸。
解剖　在顱頂骨部。帽狀腱膜中。循後頭動脈之分枝。分布上眼窩神經。
主治　頭痛。齒痛。

療法　針三分○灸三壯○

18承靈　禁針

位置　正營後一寸五分○

解剖　在顱頂骨結節之後方○有帽狀腱膜○循淺顳顬動脉之分枝○分布大後頭神經○

主治　頭痛。喘息○衄血○

療法　禁針○灸五壯○

19腦空

位置　承靈後一寸五分○

解剖　在後頭結節之外側○後頭筋部○循後頭動脉○分布大後頭神經○

主治　肺結核○頸項部痙攣○心悸亢進○

療法　針四分○灸五壯○

20風池

位置　腦空之後直下。髮際陷中。

解剖　在後頭骨下緣。當耳後乳嘴突起尖端。與項部正中之中間。僧帽筋與胸鎖乳嘴筋之間之夾板筋中。循後頭動靜脉。分布小後頭神經。及頸椎神經之後枝。

主治　中風。偏正頭痛。傷寒熱病汗不出。頸部諸筋痙攣。淚液過多。半身不遂。腦神經衰弱。脚弱無力。鼻塞。後頭神經痛。

療法　針四分。灸四壯。

21 肩井　孕婦禁針

位置　肩上陷中。

解剖　在肩胛舉筋與棘上筋之間。有僧帽筋。循横肩胛動脉。分布肩胛上神經及副神經。

主治　中風氣塞。涎上不語氣塞。五癆七傷。頭項痛。臂痛不能舉。腦痛。脚氣上攻。婦人難產墜胎後。手足厥冷。針之立愈。乳癰。

療法　針四分○灸三壯○

22 淵腋　禁針○禁灸○

位置　腋下三寸○

解剖　在側胸部第四肋間○前大鋸筋及肋間筋中○循肋間動脈○分布肋間神經側穿行枝○及側胸廓神經○內容肺臟○

主治　肋間神經痛及痙攣。肋膜炎○

療法　禁針。禁灸○

23 輒筋

位置　腋下三寸○淵腋之前一寸。

解剖　在第四肋間○有前大鋸筋及肋間筋○循肋間動脈○分布肋間神經之側穿行枝○
內容肺臟○

主治　嘔吐○呑酸○神經衰弱○

療法　針六分。灸一壯。

24 日月

位置　在期門下五分。

解剖　在上腹部外斜腹筋中。循上腹壁動脈及長胸動脈。分布長胸神經之末端。

主治　腎臟炎。言語不正。

療法　針六分。灸七壯。

附錄　此穴爲胆之募穴。

25 京門

位置　在俠脊季脅之端。即臍上五分。旁開九寸半。

解剖　在側腹部第十二肋軟骨之前端。有外斜腹筋及濶背筋。循上腹壁動脈之分枝。分布長胸神經及肋間神經側穿行枝。

主治　腸神經痛。腸雷鳴。肩胛神經痛。

廣州西湖路流水井珠江承印

療法　針三分。灸三壯。側臥屈上足伸下足舉臂取之。

附錄　此穴爲腎之募穴。

26 帶脈

位置　章門之下一寸八分。平臍。

解剖　在第十一肋軟骨之遊離端直下。及內外斜腹筋中。右爲上行結腸部。左爲下行結腸部。循上腹動脈。分布肋間神經側穿行枝。

主治　月經不調。子宮痙攣。子宮內膜炎。

療法　針六分。灸五壯。

27 五樞

位置　帶脈下三寸。

解剖　在腸骨前上棘之前上部。內外斜腹筋之下緣。循廻腸骨動脈。分布腸骨下腹神經。

主治　肩胛部及背部腰部神經痛。睪丸炎。子宮內膜炎。子宮痙攣。

療法　針五分。灸五壯。

28 維道

位置　章門之下五寸三分。

解剖　在腸骨前上棘之前上部。內外斜腹筋中。循廻腸間動脉。分布長胸神經。及肋間神經分枝。

主治　水腫。食慾減退。嘔吐。

療法　針八分。灸三壯。

29 居髎

位置　帶脉下四寸五分。

解剖　在大臀筋停止部之前緣大腸部。有內外斜腹筋。循廻旋腸骨動脈。分布長胸神經及肋間神經分枝。

主治 腰部及下腹部之痙攣。肩胛部胸部及上肢神經痙攣。

療法 針三分。灸三壯。

30 環跳

位置 並兩足而立。腰下部有陷凹處。大轉子中。

解剖 在大腿骨大轉子中與髀臼關節上緣中間之後部。上層有大臀筋。下層有中臀筋。循上臀動脉。分布荐骨神經之後枝。

主治 坐骨神經痛。半身不遂。膝不能伸。遍身風疹。

療法 側臥。伸下足。屈上足。取之有大空。針一寸。灸十壯。

31 風市

位置 膝上外廉兩筋中。

解剖 有外大股筋。上膝關節動脉。前股皮下神經。

主治 腿膝無力。脚氣。渾身搔痒。痲痺。

療法　正立以兩手垂直覆腿上。中指盡處是穴。針五分。灸五壯。

32 中瀆

位置　髀骨外膝上五寸。

解剖　在大腿之外側。股鞘與外大股筋之間。循外廻旋股動脈。分布外股皮下神經。上臂神經。

主治　下肢痲痺及痙攣。脚氣。

療法　針五分。灸三壯。

33 陽關　禁灸

位置　陽陵上二寸。犢鼻外陷中。卽膝盖之旁。兩筋之間盡處。

解剖　在大腿骨外上髁之上際。四頭股筋停止部之外側。二頭股筋腱之前方。循上外膝關節動脈。分布股神經之分枝。

主治　膝關節炎、大腿部痲痺。

療法　針五分。禁灸。

34陽陵泉

位置　膝之下。尖骨前之陷凹處。

解剖　在腓骨小頭之前下部。長腓骨筋與長總趾伸筋之間。循前脛骨動脉之分枝。及後返迴脛骨動脉。分布脛骨神經。

主治　半身不遂。膝關節炎。脚氣。下肢痙攣。肋間神經痛。鶴膝。

療法　針六分。灸七壯。

35陽交

位置　外踝之上七寸。

解剖　在腓骨部。有長總趾伸筋及長腓骨筋。循前腓骨神經之分枝。分布深腓骨神經之分枝。

主治　肋膜炎。膝痛。

療法　針六分。灸三壯。

36 外邱

位置　外踝上七寸。與陽交相並。陽交在後。外邱在前。相隔一筋。

解剖　在腓骨與脛骨之間。長總趾伸筋與長腓骨筋之間。循前脛骨動脈。分布淺腓骨神經。

主治　頸項部疼痛。小兒佝僂病。癲癇。

療法　針三分。灸三壯。

37 光明

位置　外踝之上五寸。

解剖　在腓骨之前緣。長總趾伸筋。與長腓骨筋之間。後部有比目魚筋與腓骨筋。循前脛骨動脈。分布淺腓骨神經。

主治　脛腓部疼痛。眼癢。眼痛。

廣州西湖路流水井森江承印

療法　針六分。灸五壯。

附錄　此穴爲足少陽絡別走厥陰。

38陽輔

位置　外踝之上四寸。

解剖　在腓骨與脛骨之間。有長總趾伸筋與長腓筋。循前腓骨神經。分布深腓骨神經。

主治　腰痛。膝關節炎。全身疼痛。腰部冷却。

療法　針三分。灸三壯。

附錄　此穴爲足少陽胆脉所行爲經火。

39懸鐘　一名絕骨

位置　外踝上三寸。

解剖　在腓骨之前緣。長總趾伸筋與長腓筋之中央。循前腓骨動脉。分布淺腓骨神經。

主治　心腹脹滿。胃熱不食。喉痺。頭痛。中風。頸項疼痛。腰膝痛。脚氣。

療法　針五分。灸五壯。

40丘墟

位置　外踝之下微前陷中。

解剖　在脛腓關節下端與跗骨之關節部。長總趾伸筋腱中。循前外踝動脉。及腓骨動脉穿行枝。分布淺腓骨神經。

主治　肋膜炎。白膜翳。腓腸筋痙攣。轉筋。足背痛。

療法　針五分。灸五壯。

附錄　此穴爲足少陽脈之原穴。

41臨泣

位置　足小趾次趾本節後。在俠谿一寸五分。

解剖　在第四蹠骨之後外側與第五蹠骨之後內側之間。長及短總趾伸筋腱中。循外跗

骨動脉○分布脛骨神經交通枝○

主治　間歇熱○全身痲痺及疼痛○眩暈○月經不順○乳房炎○

療法　針二分○灸三壯○

附錄　此穴爲足少陽脈之所注爲兪本○

42 地五會　禁灸○

位置　在俠谿一寸○

解剖　在第四蹠骨與第五蹠骨間腔之中央前端部○　循外踝骨動脉○　分布脛骨神經交通枝○

主治　腋下疼痛○乳房炎○耳鳴○眼痛○

療法　針一分○禁灸○

43 俠谿

位置　足小趾次趾岐骨間之本節前陷中○

解剖　在第四趾骨與第五趾骨第一節之前。歧骨之間。長及短總趾伸筋腱附着部。循趾背動脈。分布趾背神經。

主治　肋間神經痛。耳聾。下肢痲痺。

療法　針二分。灸三壯。

44 竅陰

位置　第四趾外側爪甲角。

解剖　在第四趾骨第三側之外側。爪甲之發生根部。長及短總趾伸筋附着部之外側。循趾背動脈。分布趾骨神經。

主治　肋膜炎。口乾。乳癰。

療法　針一分。灸三壯。

附錄　此穴爲足少陽脉之所出爲井金

第十二任脉　凡廿四穴

——奇經八脈之一——

任脈經穴分寸歌

任脈會陰兩陰間。曲骨毛際陷中安。中極臍下四寸取。關元臍下三寸連。臍下二寸石門是。臍下寸半氣海泉。臍下一寸陰交穴。臍之中央即神闕。臍上一寸即水分。臍上二寸下脘列。臍上三寸名建里。臍上四寸中脘許。臍上五寸上脘在。巨闕臍上六寸步。鳩尾蔽骨下一寸。中庭膻下寸六取。膻中却在兩乳間。膻上寸六玉堂主。膻上紫宮三寸二。膻上四八華蓋舉。膻上璇璣六寸四。璣上一寸天突取。天突結喉下二寸。廉泉頷下結上已。承漿頤前下唇中。齦交齒下齦縫裏。

1 會陰　不宜針灸

位置　在兩陰之間。

解剖　在球海綿體筋之中央。循外痔動脈。內陰部動脈等。分布會陰神經。

主治　陰汗。陰中諸病。痔疾。

療法　不宜針灸○惟溺死可針一寸○

2 曲骨

位置　臍下五寸○中極下一寸○

解剖　在耻骨軟骨接合上際白條綫中○左右直腹筋停止部之中間○循下腹壁動脈○外陰部動脈○分布腸骨鼠蹊神經○

主治　內臟虛弱○失精○下腹痙攣○尿閉○子宮內膜炎○子宮出血○

療法　針八分○灸九壯○

3 中極

位置　臍下四寸○關元下一寸○

解剖　在耻骨軟骨接合上際之上部白條綫中○循下腹壁動脈○分布下腹神經○

主治　陽氣虛憊○冷氣時上衝心○尸厥恍惚○失精無子○腹中臍下結塊○水腫○奔豚○疝瘕○九淋○小便赤澀不利○婦人下元虛冷○血崩○白濁○因產惡露不行○

廣州西湖路流水井珠江承印

胎衣不下○經閉不通○血積成塊○子門腫痛○

療法　針八分○灸二壯○

4 關元

位置　臍下三寸○石門之下一寸○

解剖　循下腹壁動靜脉○分布第十二肋間神經前穿行枝，深部容小腸○在女子則容子宮底○

主治　積冷諸虛百損○臍下絞痛○漸入陰中○冷氣入腹○小腹奔豚○夜夢遺精○白濁五淋○七疝○洩血○小便赤澀○轉胞不得溺○婦人帶下瘕積○經水不通○不姙或姙娠下血○或產後惡露不止○或月經斷絕○水腫○氣喘○夜尿○

療法　針一寸○灸三壯○

5 石門　婦人不宜針灸

位置　臍下二寸○氣海之下半寸○

解剖　在下腹部白條綫中○循下腹壁動脉○分布肋間神經前穿行枝○深部容小腸○

主治　腹脹堅硬○水腫支滿○氣淋○小便黃赤不利○小腹痛○洩瀉不止○身寒熱○嘔血○卒疝疼痛○婦人因產惡露不止○遂結成塊○崩中漏下○血淋○

療法　針六分○灸六壯○婦人不宜針灸○犯之絕嗣○

6 氣海○

位置　臍下一寸五分○陰交下五分○

解剖　在下腹部白條綫中○循下腹壁動脉○分布肋間神經前穿行枝○深部容小腸○

主治　下焦虛冷○上衝心腹○或為嘔吐不止○或陽虛不足○驚恐不臥○奔豚七疝○小腸膀胱癥瘕結塊○狀如覆杯○臍下冷氣○陽脫欲死○卵縮○四肢厥冷○小便赤○白濁○婦人赤白帶下○月事不調○產後惡露不止○繞臍腹痛○小兒遺尿○遺精○水腫○氣喘○一切氣病○

療法　針一寸○可灸百壯○

7 陰交

位置　臍下一寸。

解剖　在下腹部白條線中。循下腹壁動脉。分布肋間神經前穿行枝。

主治　精神病。陰汗濕痒。腰部膝部之痙攣。子宮內膜炎。月經不順。產後血暈。惡露不止。水腫。

療法　針八分。灸五壯。

8 神闕　禁針

位置　臍中。

解剖　腹部中央。循上腹壁動脉。分布肋間神經前穿行枝。深部容小腸。

主治　中風不省人事。腹中虛冷。腸鳴。洩瀉不止。水腫。小兒乳痢不止。腹大。風癇角弓反張。脫肛。婦人血冷不受胎者。脫肛。霍亂。吞鴉片煙。

療法　納鹽臍中。可灸百壯。禁針。

9 水分

位置 臍上一寸。下脘下一寸。

解剖 在上腹部白條線中。循上腹壁動脈。分布肋間神經前穿行枝。內容橫行結腸。

主治 水病腹堅。黃腫如鼓。衝胸不得息。繞臍痛。腸鳴洩瀉。小便不通。小兒顖陷。

療法 針五分。灸五壯。水腫病不宜針。

10 下脘 孕婦忌灸。

位置 臍上二寸。建里下一寸。

解剖 在上腹部白條線中。循上腹壁動脈。分布肋間神經前穿行枝。內容胃臟。

主治 胃痙攣。消化不良。嘔吐。尿血。

療法 針八分。灸五壯。孕婦忌灸。

11 建里 孕婦忌灸

廣州西湖路流水井珠江承印

位置　臍上三寸。中脘下一寸。
解剖　在上腹部白條線中。循上腹壁動脉。分布肋間神經前穿行枝。內容胃臟。
主治　水腫病。嘔吐。消化不良。
療法　針五分。灸五壯。孕婦忌灸。

12 中脘

位置　臍上四寸。上脘下一寸。
解剖　在上腹部白條線中。循上腹壁動脉。分布肋間神經前穿行枝。內涌腹膜。容胃。
主治　心下脹滿。消化不良。嘔吐。氣喘。五癇。霍亂。及胃痙攣。心痛。黃疸。胃出血。泄瀉。
療法　針八分。灸七壯。

13 上脘

位置　臍上五寸。巨闕下一寸。

解剖　在上腹部白條線中。循上腹壁動脉。分布肋間神經前穿行枝。當胃之噴門。
主治　心下煩熱。痛不可忍。腹中雷鳴。消化不良。霍亂。嘔吐。黃疸。身熱汗不出。九種心痛。發狂。
療法　針八分。灸五壯。

14 巨闕

位置　臍上六寸。鳩尾下一寸。
解剖　在上腹部白條線中。循上腹壁動脉。分布肋間神經前穿行枝。
主治　胸滿氣痛。九種心痛。少腹蚘痛。痰飲咳嗽。霍亂。發狂。黃疸。吐痢不止。
療法　針六分。灸六壯。

15 鳩尾

位置　蔽骨之下一寸。
解剖　在上腹部之上方白條線起始部。循上腹壁動脉。分布肋間神經前穿行枝。

廣州西湖路流水井珠江承印

主治　心悸驚癇。癲狂。

療法　不可輕針。必欲針須兩手高舉。方可下針。針三分。灸三壯。

16 中庭

位置　膻中下一寸六分。

解剖　在胸骨體部。當左右第六肋間之中央。循內乳動脈分枝。分布肋間神經。

主治　小兒吐乳。食道狹窄。嘔吐。

療法　針三分。灸三壯。

17 膻中　禁針。

位置　兩乳之間。玉堂下一寸六分。

解剖　在胸骨體部。循內乳動脈分枝。分布肋間神經前穿行枝。

主治　一切上氣短氣。痰喘咳嗽。反胃氣喘。肺癰。嘔吐膿血。婦人乳汁少。

療法　灸七壯。禁針。

18 玉堂

位置　紫宮之下一寸六分。

解剖　在胸骨體部。循內乳動脈分枝。分布肋間神經前穿行枝。

主治　胸膜炎。喘息。咽腫。嘔吐寒痰。

療法　針三分。灸三壯。

19 紫宮

位置　華蓋之下一寸六分。

解剖　在胸骨體部。循內乳動脈分枝。分布肋間神經前穿行枝。

主治　胸膜炎。食道狹窄。嘔血。

療法　針三分。灸五壯。

20 華蓋

位置　璇璣之下一寸六分。

廣州西湖路流水井珠江承印

解剖　在胸骨把柄與胸骨體之界○循內乳動脈分枝○分布肋間神經前穿行枝○
主治　喘息○扁挑腺炎○胸膜炎○
療法　針二分○灸五壯○

21 璇璣
位置　天突下一寸○
解剖　在胸骨體部○循內乳動脈分枝○分布肋間神經○
主治　胸膜神經痛及痲痺○喘息○食道狹窄○
療法　針三分○灸五壯○

22 天突
位置　結喉下二寸○
解剖　在胸骨頸截痕上際之中央○當左右胸鎖乳嘴筋之中間○有胸骨舌骨筋○甲狀舌骨筋○循上甲狀腺動脈○及下甲狀腺靜脈○分布下頸皮下神經○

主治　上氣哮喘。咳嗽。喉痺。肺癰。咽腫。暴瘖。
療法　針五分。灸三壯。仰而取之。

23 廉泉

位置　頷之下。結喉之上。
解剖　在喉頭結節上方。舌骨之上部。當左右胸骨舌骨筋停止部之中間。循上甲狀腺動脈。分布顏面神經之分枝。上頸皮下神經。
主治　咳嗽。喘息。舌下腫。舌根部諸筋萎縮。口瘡。
療法　針三分。灸三壯。仰而取之。

24 承漿

位置　下唇之下中央。
解剖　在頸骨頤結節之上部。左右方形。頤筋之中間。循下唇動脈。及頤動脈。分布顏面神經之枝別。下頸皮下神經。

主治　中風○顏面神經麻痺○顏面浮腫○
療法　針三分○可灸七壯○開口取之○
附錄　此穴爲十三鬼穴之一○

第十四督脈　凡廿七穴

——奇經八脈之二——

督脈經穴分寸歌

尾閭骨端是長強○廿一椎腰俞當○十六陽關十四命○十三懸樞脊中央○十椎中樞筋縮九○七椎之下乃至陽○六靈五神三身柱○陶道一椎之下卿○一椎之上大椎穴○上至髮際啞門行○風府一寸宛中取○腦戶二五枕當方○再上四寸強間位○五寸五分後頂強○七寸百會頂中取○耳尖直上髮中央○前頂前行八寸半○前行一尺顖會量○一尺一寸上星會○入髮五分神庭當○鼻端準頭素髎穴○水溝鼻下人中藏○兌端唇上端中取○

齦交齒上齦縫御。

1 長強

位置　尾閭骨端五分之處。肛門之上。

解剖　在尾閭骨之下部。荐骨靭帶之下端。卽大臀筋與外肛門括約筋中。循下臀動脈。及內陰部動脈。下痔動脈等。分布尾閭骨神經。及外痔神經。

主治　腰脊强急。不可俯仰。狂病大小便難。腸風下血。五淋五痔。下部痛蝕。泄瀉失精。嘔血。驚癎瘈瘲。脫肛瀉血。小腸氣痛。

療法　針二分。灸二三十壯。伏地取之。

2 腰兪

位置　廿一椎之下。

解剖　在荐骨管裂孔。腰骨筋膜中。循下臀動脈。分布荐骨神經後枝。

主治　腰脊重痛。不得俯仰。腰以下至足冷痺不仁。强急不得坐臥。

療法　針三分。灸五壯。伏而取之。

3 陽關

位置　第十六椎之下。

解剖　在第四腰椎之棘上突起間。有薦骨脊椎筋。循腰動脉。分布腰椎神經之後枝。

主治　膝痛不得屈伸。風痺不仁。筋攣不行。

療法　針五分。灸五壯。伏而取之。

4 命門　大便血灸之頗效

位置　第十四椎之下。與臍相對。

解剖　在第二及第三腰椎棘上突起間。有薦骨脊柱筋。循後肋間動脉。分布腰椎神經之後枝。

主治　腎虛腰痛。赤白帶下。男子洩精。耳鳴。手足冷痺攣。頭眩。兼針中樞　頭痛如破。身熱如火。痔疾白濁。青盲。針巨髎。肝俞。命門。商陽四穴。（[illegible]）

療法　針三分。灸三至數十壯。年滿廿者灸之有絕子之恐。

5 懸樞

位置　第十三椎之下。

解剖　在第一及第二腰椎棘上突起間。有薦骨脊柱筋。循後肋間動脉。分布腰椎神經之後枝。

主治　腰椎神經痙攣。瀉痢不止。

療法　針三分。灸三壯。俯首取之。

6 脊中　一說禁灸

位置　在十一椎之下。

解剖　在第十一胸椎棘狀突起之下。及第十二胸椎之間。當腰背筋膜之起始部。循後肋間動脉分布背椎神經後枝。

主治　癲癇。腹部膨脹。痔疾。小兒脫肛。

療法　針三分。灸三壯。俯首取之。

7 筋縮

位置　在當九胸椎之下。

解剖　第九第十胸椎之間。僧帽筋起始部。循後肋間動脈。分布背椎神經後枝。

主治　癲疾。背椎神經痛。目下視。

療法　針五分。灸三壯。俯首取之。

8 至陽

位置　第七胸椎之下。

解剖　在第七第八胸椎之間。有荐骨脊柱筋。循後肋間動脈分枝。分布背椎神經後枝。

主治　腰背神經痛。胃部厥冷症。黃疸。喘息。

療法　針五分。灸三壯。俯首取之。

9 靈台

位置　第六胸椎之下。

解剖　在第六第七胸椎間。菱形筋起始部。循後肋間動脉分枝。分布背椎神經後枝。

主治　咳嗽。氣喘。

療法　針三分。灸三壯。俯首取之。

10 神道

位置　第五胸椎之下。不宜針

解剖　在第五第六胸椎之間。僧帽筋起始部。循胸背動脉。分布肩胛下神經。

主治　心臟諸病。腦神經衰弱。頰車脫臼。小兒搐搦。

療法　灸五壯。不宜針。

11 身柱

位置　第三胸椎之下。

發冷
針灸大椎七壯
針間使
針後谿

解剖　在第三第四胸椎之間。僧帽筋起始部。循橫頸動脈下行枝。及肋間動脈之背枝。分布胸椎神經之後枝。

主治　疔瘡。癲癇。狂走。怒欲殺人。小兒搐搦。衄血。咳嗽。肺結核。

療法　針三分。灸五壯。俯首取之。

12 陶道

位置　第一胸椎之下。

解剖　在第一第二胸椎之間。僧帽筋之起始部。循橫頸動脈之分枝。分布副神經及背椎神經。

主治　間歇熱。頸項部及肩胛部諸筋痙攣。肺結核。潮熱。

療法　針五分。灸五壯。俯首取之。

13 大椎

位置　第一胸椎之上陷中。

退熱針

大椎 風池 合谷 委中 針

解剖 在第七頸椎與第一胸椎之間。棘間韌帶及僧帽筋起始部。循橫頸動脈之分枝。分布副神經。背椎神經。

主治 間歇熱。肺結核。肺氣腫。頸項部痙攣。能瀉胸中熱。及諸熱氣。

療法 針五分。灸三壯。

14 瘂門 禁灸

位置 項之上入髮際五分。

解剖 在第一頸椎與第二頸椎之間。僧帽筋起始部。循後頭動脈之分枝。分布頸椎神經後枝。其深部有延髓。

主治 頸項強急不語。諸陽熱盛。衄血不止。脊強反折。瘈瘲癲疾。頭風疼痛。汗不出。寒熱風痙。中風尸厥。不省人事。

療法 針二分。不宜深。禁灸。灸之令人啞。

15 風府 禁灸

位置　項部入髮際一寸。大筋中。

解剖　在後頭骨後部。與第一頸椎之間陷凹部。僧帽筋間。循後頭動脈。分布大後頭神經。其深部有延髓。

主治　中風舌緩暴瘖不語。振寒汗出身重。半身不遂。傷風頭痛。項急不得回顧。衂血。咽痛。主瀉胸中之熱。

療法　針三分。禁灸。

16 腦戶

位置　强間之後一寸五分。枕骨之上。

解剖　在帽狀腱膜中。循後頭動脈。分布大後頭神經。

主治　因禁針禁灸。從畧。

療法　禁針。禁灸。素問刺禁論云刺頭中腦戶。入腦立死。銅人經云。灸之令人啞。

17 强間　禁灸

位置　在後項後一寸五分。

解剖　在矢狀縫合之後端。後頭骨與顱頂骨之間。卽三角縫合部。狀帽腱膜中。循後頭動脈。分布大後頭神經。

主治　頭痛項强。嘔吐。

療法　針二分。禁灸。

18 後項

位置　百會後一寸半。

解剖　在顱頂部矢狀縫合之後端部。有帽狀腱膜。循後頭動脈。分布大後頭神經。

主治　頭項強急。偏頭痛。

療法　針二分。灸五壯。

19 百會

位置　項之中央。旋毛中。前項後一寸五分。

解剖　在顱頂部帽狀腱膜中。循淺顳顬動脈○及後頭動脈之各終枝○分布大後頭神經○

主治　頭風頭痛。耳聾鼻塞○鼻衄○中風語言蹇澀○口噤不開○或多悲哭○偏風○半身不遂○風癇卒厥○角弓反張○吐沫○心神恍惚○驚悸健忘○胎前產後風疾○小兒驚風○脫肛久不瘥○痫疾○咽病○小兒夜啼

療法　針二分○灸五壯○

20 前頂

位置　顖會之後一寸五分○

解剖　在頭蓋之中線○左右顱頂骨之縫合部○帽狀腱膜中○循顳顬動脈之前枝○及頭面靜脈之分枝○分布前額神經○

主治　腦充血○腦貧血○鼻流清涕○頸項腫痛○

療法　針二分○灸五壯○

21 顖會

位置　上星後一寸。

解剖　在前頭骨上緣。顱頂骨縫合部。僧帽腱膜中。循淺顳顬動脉。分布前頭神經。

主治　腦貧血性頭痛。鼻塞。中風。

療法　針二分。灸二壯。小兒七歲內。顖門尙未縫合。禁針禁灸。

22 上星

位置　鼻上中央入前髮際一寸。

解剖　在前頭骨部。有前頭筋。循鼻前頭動脉。分布前頭神經。

主治　頭痛。頭皮腫。鼻血。鼻涕。鼻塞。不聞臭香。目眩睛痛。近視。

療法　針三分。不宜多灸。

附錄　十三鬼穴之第十。

23 神庭　禁針

位置　鼻上入髮際五分。
解剖　在前頭骨部。有前頭筋。循鼻前頭動脈。分布前頭神經。
主治　發狂。登高妄走。風癇癲疾。角弓反張。目上視不識人。頭風。鼻淵。眩暈。
療法　灸三壯。禁針。

24 素髎　禁灸
位置　鼻柱之尖端。
解剖　在鼻軟骨尖端部。鼻壓縮筋中。循外鼻動脈。分布外鼻神經。及篩骨神經。
主治　鼻息肉。衄血。霍亂。
療法　針一分。禁灸。

25 水溝　禁灸
位置　鼻下正中。
解剖　在鼻柱根。與口唇之中央。口輪匝筋中。循上唇動脈。及外頸動脈之分枝。分布顏面神經之頰枝。及下眼窩神經。

主治　中風口噤。牙關不開。不省人事。癲癇卒倒。消渴多飲水。口眼喎斜。面腫。腰痛。

療法　針三分。禁灸。

26 兌端　禁灸

位置　上唇端之中央。

解剖　在口輪匠筋部。上唇之粘膜。人中之外皮。循外頸動脈之分枝。及上唇冠狀動脈。分布顏面神經之頰枝。及下眼窩神經。

主治　癲癇。吐瀉。齒齦痛。口瘡。

療法　針三分。禁灸。

27 齦交　禁灸

位置　在唇內齒上齦縫筋中。

(三)衝脈廿二穴左右共 幽门，通谷，陰都，石関，商曲，肓俞，中注，四满，氣穴，大赫，横骨。(四)帶脈 帶脈，五樞，維道。(五)陽蹻脈 申脈，僕參，跗陽，居髎，肩髃，巨骨，臑俞，地倉，巨髎，承泣，

解剖　在上唇裏面之粘液膜部。口輪匝筋中。循上冠狀動脈。分布前上齒槽神經。

主治　鼻息肉不消。牙疳腫痛。

療法　針三分。逆針之。禁灸。

奇經八脈除任脈督脈外尚有第三衝脈。凡廿二穴。第四帶脈凡六穴。第五陽蹻脈凡廿穴。第六陰蹻脈凡四穴。第七陽維脈凡卅二穴。第八陰維脈凡十四穴。以此六脈之經穴散見於十二經中。無特殊可述。從畧。

第十五經外奇穴摘要

1 患門

位置　本穴在背部五六椎之間。去脊外開一寸五分左右。有僧帽筋菱形筋。荐骨脊中筋。肩背動脈。背椎神經之後枝。與散佈心臟膈膜之交感神經。

主治　本穴爲全身虛弱羸瘦無神之特效穴。肺癆。灸十壯

（6）陰蹻脈：照海，交信。
（七）陽維脈：金門，陽交，臑俞，天髎，肩井，陽白，本神，臨泣，目窗，正營，承靈，腦空，風池，日月，風府，啞門。
（八）陰維脈：築賓，腹哀，大橫，府舍，期門，天突，廉泉。

取法　用毫不伸縮之麻繩一條。令病者直立。以繩之一端。齊病者足大趾之端。沿其足底之中央循後足跟上行。經腨腑之後方。直上至膝膕中央委中穴處截斷。即以此繩之端。於病者之鼻尖素髎穴處並齊。沿鼻中隔直上。經印堂上星百會腦戶大椎直下。繩之盡處用墨點記（當用繩量時。令病者端坐。手按兩膝。不稍移動）復用繩折疊。於鼻中隔下人中穴處起分開沿至口角兩邊。成人字形。即就口角處剪斷。以此繩就背部之點墨處。兩邊平均分開。成一字形。兩端盡頭即是患門穴。約去脊一寸五分左右。

療法　本穴皆用灸法。每灸五壯或十壯。間三日灸一次。繼續至卅壯。

2 四花

位置　本穴部位適當五六七三椎之四圍。有僧帽筋。脊骨脊柱筋。上部有肩胛背動脈之分枝。背椎神經之後枝連系於心臟膈膜。下部有肋間動脈之分枝。背椎神經之後枝。而連系於肝臟脾胃之交感神經。

主治　本穴爲虛癆羸瘦全身衰弱之特效穴。

取法　令病者端坐。頭直平視。醫者以細繩一條環其頸項。後與大椎相平。前與結喉相並。兩繩頭乃並齊下垂至胸之鳩尾骨尖剪處斷。然後將繩移轉至背部。繩之中心在大椎者。移在結喉之處。並結喉之繩移平大椎。成一對換方向。而兩繩頭即就大椎處相並下垂。適在第六椎之間。繩頭到處。用墨點記。至是取穴工程已盡其半。另以細繩一條。作兩折由病者之人中起。分向兩邊。與口角並齊剪斷。即以此繩之中心。就背脊墨點處左右分開。兩端盡處。亦用墨點記。仍以此原繩中央就兩側之墨點上下分開。兩端用墨圈記。計脊骨左右共有四圈。即是灸穴。

療法　本穴亦祇灸不針。每灸三壯。五壯。七壯。視其病之輕重爲增減。間三日灸一間。灸後亦當灸足三里與關元以應之。

3 騎竹馬灸

位置　本穴在背脊九椎之旁。有僧帽筋。濶背筋。背長筋。肋骨舉筋。薦骨脊椎筋。後肋間動脉枝。背椎神經之後枝。通入肝臟之交感神經。

主治　本穴爲癰疽疔瘡發背一切無名腫毒之特效穴。

取法　以竹片條一根。自病者之臂腕肘中尺澤穴起。量至中指端中衝穴止。截斷備用。然後令病者裸其身。騎跨於竹或木之横上。令兩人抬起。病者之足約離地五分上下。腰背挺直。左右使人扶定。即以量得之竹片。沿其背脊下端竪立横幹上。貼近尾閭。上端適在背脊之九椎上下。用墨點記，兩旁各開一寸即是灸穴。

療法　本穴用灸法。以二十壯至三十壯爲度。

腰眼　一名遇仙穴

位置　本穴在第四五腰椎即十六十七椎之間。外開三寸八分之腰部凹陷處。有大腰筋。腰脊神經之分布。

主治　本穴專治肺癆。虚癆。羸痩衰弱。腎虧腰痛之特效穴。

廣州西湖路流水井珠江承印

取法　病者裸體伏臥。兩足直伸。兩手掌相叠。上承頭額。兩肘尖與肩平。如是腰背平直。腰部左右。顯出二凹陷。即是正穴。

療法　本穴可針三四分。灸十一壯。

・5 太陽

位置　本穴在目外眥角與眉稍之間。向髮鬢一寸五分之處。適當顳顬骨之陷凹窠。即顳顬骨與顴骨之關節部也。有顳顬筋。顳顬動脉。顏面神經顳顬枝之分布。

主治　偏頭痛。赤眼。有特效。

取法　以中指或食指按病者之眼稍眉梢之間。平向鬢髮移動。向寸許地位。覺有一凹陷者即是太陽穴。

療法　偏頭痛宜用針入一寸左右。復以艾灸三壯。其痛立止。赤眼單用針法。不須灸。針時即在其部位處之表層。尋覓靜脉以針刺出血有大效。如靜脈不易覓得者。以棉繩或巾。緊繞其頭部。則頭部所有之靜脈皆興奮怒張。即可覓得而刺之。法至易也。

6 海泉

位置　本穴在舌下之正中。卽舌繫帶之處。有腦神經第五對之三叉神經下頜枝與第十二對之舌下神經之散佈。有總頸動脉之舌動脉枝。及舌下靜脉與舌下腺。

主治　本穴爲治療消渴之特效穴。

取法　令病者張口。舌舐上顎不動。卽可針得。

療法　本穴單有針刺法。以粗針擇定舌下之正中。舌繫帶之微上。直刺之約一分深。針隨刺隨出。不稍停留。使其出血一二滴。口渴卽愈。

7 金津玉液

位置　本穴在舌下之表層。卽舌繫帶左右之兩條舌下靜脈也。在左者曰金津。在右者曰玉液。

主治　本穴爲治舌部紅碎之特效穴。舌腫。口瘡。消渴。亦能愈。

取法　令病者張口。舌尖舐上顎。以箸橫其舌下。使舌固定不動。然後施術。

療法　擇定舌下兩邊之最粗靜脈以針終點破之。卽流出紫黑色之血。其病卽愈。

注意。本穴與上條海泉同在舌下。主治功效。大致相同。施術專在刺出血。但宜注意。不能斷其血管。故取此二穴之針。針身宜粗。「約倍毫針」針鋒宜銳。手術要速。一點卽出。庶不致誤。

8 百勞

位置　本穴在項之大椎穴直上二寸。外開一寸。有項夾筋。後頭動脈。項神經。

主治　頸項瘰癧有效。

取法　以頭部之同身寸法。從大椎骨直上向髮際量取二寸。向左右各開一寸是穴。

療法　本穴專灸瘰癧。每灸七壯。過七日再灸七壯。連灸三次癧消無形。

9 肘尖

位置　本穴在肘外大骨之端尖。有三頭膊筋之筋腱。肘關節動脈網。尺骨神經之分布。

主治　瘰癧疔瘡。無名腫毒等有效。

取法　屈其肘。點取其肘尖之處。

療法　每次灸七壯至十五壯。三日或七日一灸。累灸至百壯。

10 鶴頂

位置　本穴在膝蓋骨之正中尖上。　有股肌直肌脛骨肌之筋腱。　脛骨神經股神經之散布。

主治　兩足癱軟無力。

取法　病者坐板上。兩足直伸。點取膝蓋之正中。

療法　在膝蓋正中灸七壯。

11 中魁

位置　本穴在手中指第二節骨尖上。有伸指總筋。橈骨神經之枝佈達。

主治　五噎○膈氣○翻胃。有效○
取法　以中指屈而取其第二節之尖○
療法○即在中指二節之端○灸五壯或七壯○

12 大小骨空

位置　大骨空在大拇指第二節骨尖端微前○小骨空在小指第二節骨尖端微前○有屈指筋、與指靜脉○橈骨尺骨之神經枝○
主治　目内障○流淚○眼癬○翳膜○
取法　大指灣屈。取其第二節骨尖○稍上一分○小指亦灣曲。同樣取其第二節骨尖○微上一分○
療法　治上述諸症○灸七壯○

13 痞根

位置　本穴在背脊第十一椎旁即胃倉穴之外側○有濶背筋○後肋間動脉○肋間神經之

分布。

主治　痞塊之特效穴。亦能治常習性便秘症。

取法　取準十一椎十二椎之間。外開三寸五分。以腰圍之同身寸法推算之。

療法　痞塊在右灸右穴十四壯。在左灸左十四壯。

14 神聰

位置　本穴共計四穴。在百會穴之左右前後。各相去百會一寸。爲淺顳顬動脈。後頸動脈。大後頸神經之領域。

主治　頭風目眩。風癇狂亂。

取法　以百會爲中心。向前一寸爲前神聰。向後一寸爲後神聰。向左或向右各開一寸爲左右神聰。

療法　頭風目眩。屬於上虛。宜各灸三壯至七壯。風癇狂亂屬於陽盛。宜鍼二分。

15 夾承漿穴

位置　本穴在承漿穴之兩側各開一寸。有下顎皮下神經與下唇動脉之分枝。
主治　急疫。唇疔。瘟疫。面頷腫。
取法　承漿穴橫開一寸取之。
療法　針二分。灸二壯。或以三稜針點刺出血。

16 髮際

位置　本穴在前額之正中適在神庭穴下五分。眉心之直上三寸。有前頭動脉與前頭神經。
主治　頭風暈眩疼痛。經久不愈。
取法　從眉心直上。髮際邊線點取穴。
療法　前額痛或如重壓不舒者。灸三壯。

17 當陽

位置　本穴當目瞳子直上。入髮際一寸。有淺顳顬動脉之前枝。上眼窩神經之分枝。

主治　風眩。目昏。鼻塞。又治蝦蟆瘟。
取法　從瞳子直上。臨泣穴再上五分取穴。
療法　目昏花灸三壯。蝦蟆瘟則於此穴部之絡上刺出惡血。

18 印堂

位置　本穴在兩眉之中間。俗名眉心。有三叉神經與顏面神經之分枝。與前頭靜脉。
主治　專法小兒急慢驚風。（嘔吐背反張）久年頭風欲嘔。產婦血暈。
取法　兩眉之中間。鼻正中之上方。
療法　急性之嘔吐。背反張。以三稜針刺血。慢性者灸五壯。炷如麥粒。

禁針穴歌

腦戶顖會及神庭。玉枕絡却到承靈。顱息角孫承泣穴。神道靈台膻中明。水分神闕會陰上。橫骨氣衝針莫行。箕門承筋手五里。三陽絡穴到青靈。孕婦不宜針合谷。

三陰交內亦通論。石門針灸應須忌。女子終身孕不成。外有雲門并鳩尾。缺盆客主深暈生。肩井深時亦暈倒。急補三里人還平。刺中五臟胆皆死。衝陽出血投幽冥。

禁灸穴歌

啞門風府天柱擎。承光臨泣頭維平。絲竹攢竹睛明穴。素髎禾髎迎香程。顴髎下關人迎去。天牖天府到周榮。淵腋乳中鳩尾下。陽池中衝少商行。魚際經渠陽關主。隱白漏谷通陰陵。條白犢鼻與陰市。伏兎水溝申脉迎。委中陰門承扶上。白環心俞同一經。

附表一　井滎俞經合原主治表

經絡＼病症	井	滎	俞	經	合	原	各經主病
	心下滿	身熱	體重節痛	喘咳寒熱	熱氣而泄	總刺	
肝	大敦	行間	太衝	中封	曲泉		淋洩便難轉筋四肢滿閉臍左右有動氣
胆	竅陰	俠谿	臨泣	陽輔	陽陵	坵墟	喜潔面青善怒
小腸	少澤	前谷	後谿	陽谷	小海	腕骨	面赤口乾喜笑
心	少衝	少府	神門	靈道	少海		煩心心痛掌中熱臍上有動氣
胃	厲兌	內庭	陷谷	解谿	三里	衝陽	面黃善噫善思善味

廣州西湖路流水井珠江承印

脾	隱白	大都	太白	商邱	陰陵		腸脹滿食不消體重節痛怠惰嗜臥四肢不收當臍自動按之牢若痛
大腸	商陽	二間	三間	陽谿	曲池	合谷	面白善噫悲不樂欲哭。
肺	少商	魚際	太淵	經渠	尺澤		咳嗽洒淅寒熱臍右有動氣按之牢痛。
膀胱	至陰	通谷	束骨	崑崙	委中	京骨	面黑善恐
腎	湧泉	然谷	太谿	復溜	陰谷		逆若小腸急痛泄瀉下重足脛寒而逆臍下有動氣按之牢若痛

三焦	關衝	液門	中渚	文溝	大井	陽池
心包絡	中衝	勞宮	大陵	間使	曲澤	

附表二 十二經絡變化簡明一覽表

經絡類別	左右穴數
肺經	11
大腸經	20
胃經	45
脾經	21
心經	9
小腸經	19
膀胱經	67
腎經	27
心包絡經	9
三焦經	23
胆經	44
肝經	14

廣州西湖路流水井珠江承印

起穴	止穴	募穴	絡脈	致病	主	客
中府	少商	中府	列缺	熱	太淵	偏歷
商陽	迎香	天樞	偏歷	熱	合谷	列缺
頭維	厲兌	中脘	豐隆	熱	衝陽	公孫
隱白	大包	章門	公孫 大包	熱	太白	豐隆
極泉	少衝	巨闕	通里	寒	神門	支正
少澤	聽宮	關元	支正	痺	腕骨	通里
睛明	至陰	中極	飛陽	痺	京骨	大鐘
湧泉	俞府	京門	大鐘	寒	太谿	飛揚
天池	中衝		內關	痛	大陵	外關
關衝	耳門	石門	外關	熱	陽池	內關
童子髎	竅陰	日月	光明	熱	邱墟	蠡溝
大敦	期門	期門	蠡溝	痛	太衝	光明

附表三　禁針禁灸穴一覽表

經名	禁針穴	禁灸穴	孕婦禁針灸穴
肺經		天府　尺澤　經渠　少商	
心經	青靈	少海	
心包絡經			
大腸經	五里　臂臑　巨骨	禾髎　迎香	合谷

廣州西湖路流水井珠江承印

小腸經		秉風 顴髎	
三焦經	會宗 三陽絡 角孫	陽池 天髎 瘈脉 顱息 和髎 絲竹空	
脾經	箕門	隱白 漏谷	三陰交
腎經			
肝經	急脈		
胃經	承泣 乳中	頭維 下關 承泣 四白 巨髎 人迎 乳中 伏兎 犢鼻・	缺盆 梁門 天樞

膀胱經	承筋	睛明 攢竹 五處 承光 大杼 承扶 殷門 委中 僕參 申脈	崑崙 至陰
胆經	客主人 承靈 淵腋	瞳子髎 客主人 臨泣 淵腋 陽關 地五會	肩井
任脉	會陰 神闕 膻中 水分 鳩尾	會陰	石門 下脘 建里
督脉	神道 神庭 腦戶	瘂門 風府 腦戶 強間 齦交 素髎 水溝 兌端	

實驗鍼灸學下册目錄

第三編　針治術

第四編 灸治術

第五編 證治

廣州大馬站播文印

廣州大馬站播文印

六生殖器疾患

廣州大馬站循文印

十 婦科

十一 兒科

實驗鍼灸學下册目錄終

廣州大馬站操文印

三稜針　每枝大洋三角
毫　針　每枝大洋二角合購十五枝大洋弍元弍角

廣州市萬福路
三七三號二樓　曾天治醫所發售

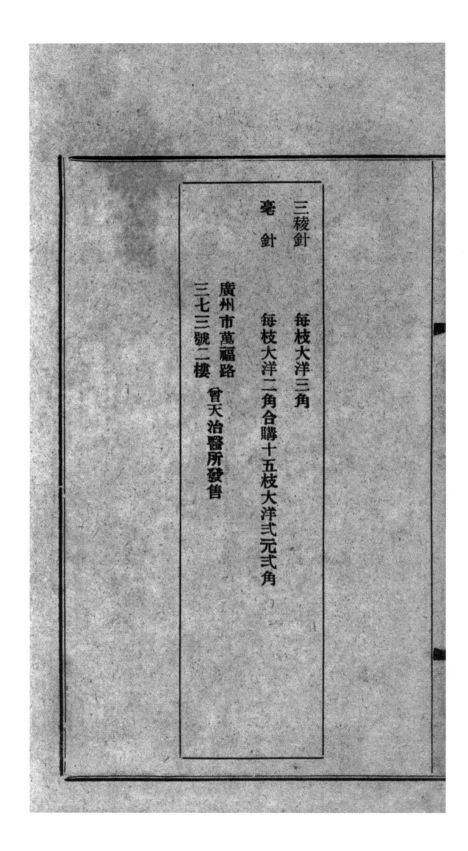

第三篇　鍼治術

中國鍼術與內分泌

上海震旦大學醫學院教授
醫學評論康健雜誌主編　宋國賓博士

假使把中國的舊醫學，從新整理一下，我以爲鍼術是最值得研究的。鍼術與湯藥皆是中國最老的東西，而鍼術爲尤古，後來因爲湯藥的發達，鍼術遂漸漸不爲人們所注意了。考其原因，無非因爲鍼術不重空論，而重實行，不近玄學，而近科學。非熟於經穴，精於手術，不能收效，避實就虛，畏難求易，是人們的常情，因此鍼術的醫學遂無形的不大爲醫家所採用了，近百年來，科學的新醫學輸入到中國，中國的鍼術却慢慢地抬起頭來了，不但中國的新醫學家注意到牠，就是外國的醫家也相當的重視牠。同時，對於牠的治療的原理，多少帶有一種神秘的觀念，其實，牠的原理是一點不神秘的。本篇所述的就是這一點。

內分泌的作用，稍懂一點醫學的人，想必都可以曉得的罷。內分泌者，是一種不由管道，而直接由臟器分泌出來以滲入血液或淋巴系的物質，內分泌對於其他的器官含有兩種作用：

(一)興奮他力活動

(二)制止他力活動

但是這二種作用，並不是由內分泌直接引起，而是由分泌液刺戟二種神經——交感神經與反交感神經(亦稱副交感神經)所引起的。此二種神經受內分泌的刺戟對於血管卽發一種張，縮的作用——此二種作用因器官而異，交感神經可收縮血管亦可擴張血管。反交感神經亦然。不過在普通情形之下，交感神經收縮的作用爲多罷了。——血管張則器官充血，而功作加緊，血管縮則器官貧血而工作減少，所謂興奮作用者，就是使器官充血之謂，所謂制止作用者，就是使器官貧血之謂，正常人的生理現象，卽維持於此二種神經的作用平衡支配之下，而此二種神經工作之支配，則悉聽命於內分泌腺，假使某種內分泌腺因病而受虧損現象時，則其所管轄下之神經，卽失其充分刺戟之作用，而對某種器官發生病態了。或某種內分泌腺過度亢分時，則上述之二種神經中，即有一種受其直接的影響而過度緊張，使生理上的平衡消失，多數的疾病即發生於此種不平衡狀態之下。總之，交感神經或反交感神經的作用，支配於內分泌之下，而任何內臟，則又支配於交感神經或反交感神經之下，茲以圖表解之如下：

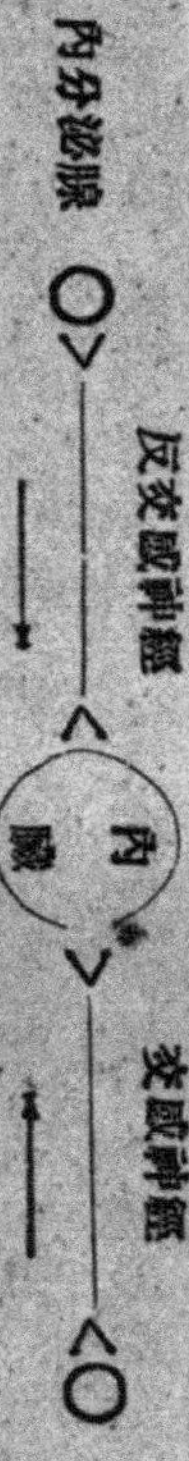

所謂任何內臟皆支配於上述二種神經之下者，可舉二例以明之：

（一）心臟　心臟的跳動，每分鐘爲七十次，因爲心臟在交感神經與反交感神經管理之下，而保持這正常的態度，交感神經之作用在促進心臟之活動，反交感神經——即迷走神經——之作用，在停止心臟之活動。此二神經之作用平等，故心臟之跳動不疾不徐，假使交感神經過度興奮則心臟呈過速現象，反之而迷走神經過度興奮，則心臟呈過緩現象。

二　瞳孔　瞳孔的擴充與收縮，亦完全爲交感神經或反交感神經所支配，交感神經之作用在擴張，反交感神經——即第三對腦神經——之作用在收縮，假使這二種神經有一失其平衡，則瞳孔卽呈擴張或收縮的不正常狀態了。

因爲交感神經和反交感神經雖有管轄內臟之權，而又支配於內分泌管轄之下，於是普通科學治療遂有內分泌臟器療法了。臟器療法者，卽補充內分泌腺不足之一種療法也。

中國的鍼術就等於臟器療法。牠的作用，更與內分泌的作用無異，牠利用針的刺入來刺戟交感神經，或反交感神經，使之發生制止和奮興二種作用。例如某內臟機能衰弱的病人，因爲內分泌虧損不够刺戟某部分之神經，使之發生興奮作用，這時如果用針來刺戟一下某一穴道下的交感神經，或反交感神經則可發生血管擴張和機能旺盛的現象。又如發炎現象，爲血管擴張，血液壅塞，這時如果用鍼來刺戟一下某一穴道下的交感神經，可使該處血管起收縮的現象，而炎自消，或是刺戟另一穴道的交感神經，或反交感神經使身體的他部發生充血，而使炎部的血向他部轉移。總之，針術的作用有「興奮」和「制止」二種，而這二種作用皆是由刺戟交感或反交感神經所引起的，這與內分泌的作用，可謂完全相同，而與臟器治療相等，不過其作用比較的迅速而已。

假使以解剖的部位，來解釋鍼術的作用，是永遠說不通的，卽如針中脘（劍突與臍眼當中）可治霍亂，針曲池（在肘外輔骨之陷中）合谷（在食指拇指凹骨間陷中）可治咽峽炎，拿解剖的部位來說，那里能講得通呢，因此一般的醫家對鍼術的治療原理就不免懷疑起來了，其實他的作用，若以分泌作用解釋之，又何神秘之有呢？

本篇所述僅其大概，至於何以針某一穴道卽能治某部病症則尙有待於硏究本問題者之努力焉。

第一章　鍼之研究

1 鍼之種類

古人之針分爲九種，亦稱九式。素問有九針之論，然多不適用。在今日之所常用者，祗毫針一種耳。姑將古之九式說明之。一曰鑱針。頭大末銳，主泄頭部之熱。二曰圓針。身圓而尖，鋒如卵形不銳。揩皮而不傷內之筋肉。三曰鍉針。其鋒如黍粟芒之利，與今之所用粗毫針同。四曰鋒針。用以泄血，即三稜針也。五曰鈹針，其形如劍，用以破膿發潰，即今之外科刀之代用品也。六曰圓利針，形如牛尾，圓而且利，用以去暴痺。七曰毫針，有如毫毛，即今之所賞用者。八曰長針，較毫針微粗而長。九曰火針，與長針相似，惟頭較圓耳。破膿于骨節間，不宜開刀者用之。九針之中，毫針應用最多。長者鋒針火針偶一用之，餘則敝屣視之矣。

2鍼之製造

今之鍼家每稱八法金針。針以金製。矜奇弦異。實則古之所謂金針者。皆屬鐵製。稱爲金針者。鐵亦金屬之一也。今之人每好弦奇。或以眞金製。或以紋銀製。其效用固無軒輊。然運用澀滯。徒使患者多受痛苦。遠不如鐵針之圓利滑疾。故製針當從古法。以馬口銜鐵。再三鍛鍊之。百鍊鋼製爲繞指柔。剛柔適宜。錘成細圓絲而斷之。一端磨之尖利。一端繞以銅絲。煑以藥汁。用黃土磨擦光利卽成。煑針之法。先以烏頭巴豆肉各一兩。麻黃五錢。木鼈子肉十枚。烏梅五枚。與針同置瓦器內。水煑一日。取出洗淨。再用乳香沒藥當歸花蕊石各半兩。同針再水煑一日。復取出用皀角水洗淨。復插入犬肉內同煑一日夜。仍用黃土或瓦屑粉擦磨光圓尖利。始可應用矣。

3針之選擇及保存

針常在人身體緻密之組織中刺入。故不得不加選擇。第一針尖之銳利。第二屈曲

時恐有折針之虞。或損傷否。第三彈力。針尖不銳利則穿皮時覺疼痛。針無彈力與曲屈損傷等。則刺入

近年針科發達。針具之考案製作頗多。因之有治療診察室備用針具。與應診携帶用針具二種。治療室備用之針。常置于玻璃瓶類之製器中央。或金屬木材之板上。下置棉花。上掩絹布。應診用之針。每置于金筒中。頭塞棉花以防針尖之損傷。

今日所製之金銀針。多以不純粹之金屬混合而成。瓶內之空氣常恐因酸化而生銹。(或塗於猪油或凡士林，外包塗油或凡士林之紙)故宜時加淨拭。或以棉花絹布等。包裝鍼器。曝之日光中以免生銹。又宜于刺入時。隨時注意針尖之損傷。

上述鍼之保存應有左列二點之注意：

1 不可生銹

2 鍼尖及針體不可損傷。

4 鍼之大小長短

毫鍼區別鍼柄鍼體鍼尖三部。針之長普通以一寸乃至四寸。而尤以一寸二寸半爲便。蓋毫針太長必甚柔軟。刺入不易。且不方便。有一寸及二寸半長。無論任何部份皆足應用矣。

至于針之大小，以細如毫毛者爲最良。蓋用大於毫毛者，刺後有痕跡存留，有失美觀。針孔大恐有細菌竄入，或有液質滲出，有碍衛生者也。

第二章　鍼術

1 運針不痛法

病者一聞針刺，必以爲甚痛楚，其實擅針術者，針刺只如蟻咬，並無痛苦，蓋有法焉。一養氣。清晨晚間，於寂靜之處，無呼喧之地，舖位靜坐，舉行深呼吸。惟須迴避迎面之風，腰直胸挺，口閉目垂數息，三者不可缺一，腰直胸挺，則身端正，肺張腹滿，目垂內視，則外物不亂其心，口閉不張，則冷氣不侵，吸之以鼻，呼之以口，宜徐宜緩，愈緩愈妙，以數計之，心神合一。久久行之，則腹部充實，氣力倍增，針雖柔軟，有氣力刺入矣，二曰練指，以二寸方厚之木條，裝成一方架。其大小適合一粗紙，四角揷入四寸長尖釘，卽以粗紙綳上三四張，懸掛壁間，高與肩齊，木架懸壁，紙面向外，卽用右手拇食二指持針刺入之。刺入之時，以針尖點於紙上。二指捻動疾行刺入，再加一二紙，久久行之，依次遞加，滿一寸厚而能不須用力捻入者，指力功候已到，可以出而問世矣。三曰理針。用銀針數枚，長約四寸，細如棉紗線，針尖須磨銳，再以較細之銀絲緊繞於針尾，長約寸許，復用淨白棉花三四両，搓成球形，每晨用棉紗線緊繞二十轉，暇時卽以銀針將右手大指與食指及中指，時時捻進捻出，日復一日，經一年之久，此球經棉紗線凡六七千次之繞紮，則結實異常，而轉捻亦復自如也。由是而施之於人身，卽可使病者除痠麻走氣之外，分毫不覺針刺也。

2 針術之手技

針術之手技，卽刺入時針之動作，適當與否，以發揮刺戟之技也。針治上以病症之見效，定適當之刺戟，爲治療經過上重大之關係，其手技甚多，茲述出十種。

一單刺術　針尖之達於目的部位時，卽行拔去，此法主與輕微的刺戟時用之。

二旋撚術　針之刺入中，或針達於目的部時，或拔出之際，行左右旋撚之手技，此法較單刺法，與以稍强的刺激時用之。

三雀啄術　此法恰如雀之啄餌。先使針達于目的部後，於組織中，將針上下動搖，加以强的刺激，此手技於制止，或達興奮之目的時，應用最多。

四皮針術　在極淺之皮膚，行刺針方法，此專應用于小兒。

五置針術　於刺針部位，刺入達目的部位時，行二分乃至數分或十分十五分之長時間放置而後拔出，此專應用制止興奮神經，或達鎮靜之目的。

六亂刺術　鍼之刺入達目的部位點，即行拔出，再就原處刺入，如此頻頻反覆。

七間歇術　鍼刺入後或在中途間即行拔出，逾相當時間，復又刺入，此方法于血管擴張，筋肉弛緩之目的時應用之。

八廻旋術　鍼刺入時，向左右廻旋刺進，拔出時向反對方廻旋拔出，此法在稍稍與以緩刺戟時應用之。

九細振術　針刺中將鍼行極微之振動，此法在收縮血管筋肉時應用之。

十欵啄術　鍼體刺入達三分之一時，行雀啄術，更刺入三分之一時，行第二次雀啄術，更於末後三分之一時行第三次雀啄術，而後拔出，此法在深部疾患，須强刺戟時應用之。

以上十手技視患者之年齡，體質，疾病之如何而適宜定之，猶之中西醫師，細心決定其藥物之量，不可稍稍疎忽也。

3 刺針之方向

針於刺入組織中之方向有三種，卽直針，斜針，水平針是也。直針直直刺入。斜針向斜方向刺入。水平針最初斜入，入皮膚後與皮膚並行，直針應用於腰部等深部之刺針，斜針因內部貴要內臟，不可深深刺入，或應用於淺層部之手術，水平針應用於皮膚刺針。

通常刺入之方向，於押手手指間時决之。

4 刺針之押手

押手爲刺針上最重要之事，先以左手中指或食指輕輕按撫刺針部位，預使慣於刺戟，次就拇指與食指之腹側，置刺針部位，在其兩指間預備置針，此拇指與中指除固定刺針部位外，更加以適度之壓迫，即押手是也。押手之任務，具體的說明如左：

1 保持針之固定。

2 若刺鍼部之皮膚滑動，必覺疼痛，故押手所以防皮膚之移動。

3 施針中患者身體每有動搖之事，此所以制止動搖。

4 用押手則針之組織刺戟容易。

押手宜視其刺入部位及其病理，而異其押手之輕重，例如皮膚易於搖動之處。或刺針强刺激時，不得不加相當之强壓。皮膚知覺銳敏，不堪强壓之處，或炎症等覺疼痛之時，則押手不得不輕輕施術。輕押手手指只觸皮膚。强壓則術者不得不用全身之力，此點應各自實地研究可知。

5.針術之消毒

消毒之目的，在乎絕對的死滅病原菌，防止細菌之發育，消滅其毒性，故消毒不得不充分。茲述施行針術時必要之消毒順序如左。

先將治療器具即針浸於沸湯中或蒸氣中五分乃至十分間。各種之消毒液中浸十五乃至二十分間。然後脫患者之衣類，先將自己之手指，用酒精充分洗滌，充分消毒。然後在施術部用酒精充分洗滌，使患部無菌，然後將無毒菌之針施術於患部。施術後在患部消毒。並將針消毒，然後拭乾置同原處。倘針結核菌病者，花柳病，惡瘡……

……等病者須將該針用火焚燒或丟棄，以免傳染。

6.刺針之深淺

人有大小肥瘦之別，刺之深淺，極難一定，惟須知針術不在刺之深淺，而在能否刺着神經，使之起反應。能刺着神經，則能事已盡。如不能刺着則或加深之，或偏左右刺之，直至病者感覺痠麻走氣爲主。

惟須記着頭部頸部胸部背部，因腦及貴要臟腑所在，不可深刺，針着腦及延髓，心，肝，肺，等要發生危險，素問之刺禁論，學者不可不讀也。

7 刺針刺戟之强弱

針治上定針刺激强弱之度，爲最大之要素。猶之中西醫對於醫藥，定其適宜之度量也。假如對于針治之適應症，不當其刺激之度，不能奏效。刺激標準如何决定，據多年經驗所得先要參酌左之事項：

1 患者之體質（神經質粘液質）

2 性之差別，卽男女之別。

3 年齡。

4 體質營養如何。

5 病症如何。

通常男子比女子，堪當强大刺戟。又生後六個月之小兒，當然不及三十歲以上年齡之人，堪當强大刺戟。其外多血質脂肪質之人，通常較神經質之人堪當强大刺戟。神經質之人，有因受輕度之刺戟，大受感覺，甚致全身汎發痙攣。或因腦血管之收縮，起一時性之腦貧血，而有失神等事。故對于神經質之人，宜先施一二次皮膚針之刺戟，其後以極細之針，加以比較的淺而又輕度之刺戟。

又對于神經痛痙攣麻痺知覺脫失等病症，應加强大之刺戟。對於腹部內臟交感神經之刺針，應極緩刺戟，患者眠時，應起立爲佳。又身體之部位，如顏面手掌等。較之身體他部知覺敏銳，亦宜注意。

8 針之響

針術無一息之留滯，隨呼吸刺入時，針尖通過皮膚決不感刺痛。在觸其神經時恰如電流，或起一種牽掣的感覺，此之謂響，或謂之氣。此響可收針之效果。蓋刺針之要，氣至而效也。響有緩急。有强弱。施之適度，爲吾針灸家最要之事，此技不至，其術徒勞。此中宜據針之細大長短而各差異，大概長針深刺，其刺激宜稍稍强大。短針淺刺，刺戟亦隨之而微弱。大針比小針增劇。此在施術者之手腕，苟能熟習其手技，則響之度自能自由自在也。

刺戟之强弱，因各個之體質，刺戟之部位，或治療之目的，而各異其度。若不適其度即不能奏效。且生危害。假如針胃痙攣之症，若過强戟戟，反增疼痛。反之若稍微弱，則奏鎮靜之效。故雖同一疾病，必隨其病狀酌量行之。又未曾受過針之經驗者，即初針者每抱恐怖之念，故宜輕度行之。俟其習慣，漸次强大。而多血質及脂肪質或常受刺針之習慣者，則較能受刺戟，反之若爲神經質歇斯的里性者，其感覺敏，故宜輕微刺戟，强大則恐失神。又如身體中之腹部顏面手尖足蹠等比之頭部及肩背腰部知覺鋭敏，故施術之先應預探知患者之體質，及知覺之鋭鈍等爲要。

9 刺針之時間

針經云凡刺之禁，新內勿刺，新刺勿內，已醉勿刺，已刺勿醉，新怒勿刺，已刺勿怒，新勞勿刺，已刺勿勞，已飽勿刺，已刺勿飽，已飢勿刺，已刺勿飢，已渴勿刺，已刺勿渴，大驚大恐必定其氣乃刺之。乘車來者臥而休之，如食頃乃刺之。出行來者，坐而休之，如行十里頃乃刺之。凡此十二禁者，其脈亂氣散，逆其營衛，經氣不足，因而刺之，則陽病入于陰，陰病出于陽，則邪氣復生也。

10 放血

放血爲針治療法之一。每用于充血性疾病或鬱血性疾病。出血後輕者即愈，重者轉輕。其手術乃擇淺在靜脈將血液之去路結紮，使血管特別擴張。刺破血管前壁，血自流出，但勿刺破血管後壁，使血液流出後壁外，滲入組織，致起靜脈瘤。又動脈不可放血，苟或誤傷爲害甚大。

11 針後之腫痛出血之補救法

針治疾病須用全副精神應付，方保無虞，萬一不愼，針及筋，骨，和血管前後壁，即要痛，腫，流血，使病者懼怕。補救之法：

一·針後發生劇痛時，宜用熱水袋敷之，或以松節油擦之，移時，痛苦卽除。

二・針及血管流血時，急以藥棉擦其針口，擦十餘次後，血即停止。

三・針穿血管後壁而腫脹時，以一——二%醋酸礬土水，一——二%鉛糖水，二——五%食鹽水罨包之，腫即消散矣。

12 拔針法

拔針時不宜急速拔出，先用押手之指壓住，徐徐拔出。餘一二分時，可以急速拔出，拔出後押手之拇指，應在其針口縱橫圓散按壓，若針口生粟粒大之膨脹，於外觀不宜，又起痙攣等之筋之刺針。拔去時應先按撫其周圍，使患者穩穩呼吸，然後漸次拔出。不可用強力無理拔出。不論何時不可不防折針。及筋纖維毛細管與細小神經等之損傷，而致患者疼痛。或破損其部之組織。故痙攣等症刺入之先後。應在其部反覆按擦為要。

13 針難出穴之原因與辨法

運針入穴，每有一時不能提出，揆其原因：

一筋肉發生强有力之痙攣將針吸住。解之之法，於針穴之上下，以爪切之。切綫約各長四五寸，約經三四分鐘。復持針畧加捻運，卽可順手而出。

二鍼有缺痕纖維纏繞難出。解之之法當捻動針柄，左右廻旋，俾筋肉之纖維退離。于左右回旋之中。將針身時時試向外提，如久不得脫，只稍用力拔出之可也。

三病者不愼，姿勢移動，針絲曲屈。當使病者不可再動，審定其屈勢，固執其針絲之露于皮外者，緩緩用力拔出之。切不可勉强捻動，勉强捻轉，必至針斷於內，醫者最當注意者也。

14 折針及其處置法

刺針中之折針，多由于左之原由：

一，針體有微傷，或一度屈曲之針，伸直使用。

二，刺針中患者忽動自己之身體筋肉乃起壓力。

三，刺針中患者因咳嗽等情形致身體急劇動搖。

四，刺入急劇，致起身體之痙攣强直等。

折針多係身體之深部刺戟重要之所，例如腰部刺針時，多有此種情形。針體毀傷，或直針曲屈，遇身體忽動咳嗽之際，亦易折針，折針多在針柄與針體之接着部，故在深部刺戟時。針體全部刺入組織中，要有相當之注意。

折針時不可告知病者，使其驚怖。此時術者宜態度鎮靜，使患者勿動，一面用較强之押手。在刺戟部之周圍，用强壓迫，使針透達皮膚上，然後用鑷或爪等摘住，靜靜拔去，若不現於皮膚上，拔針困難時，亦絕對不可告知病者，一面在刺針部輕輕揉捻，斯時身體無何等危險，二三日間，其部及附近有疼痛，或筋肉攣强直等之感，經若干時日，所感可漸次消失，(或以工字磁引出之)。

15 暈針之救治

貧血與神經衰弱之患者，一遇針之强烈刺戟，多致引動内臟之交感神經起反射作用，而直奔腦系因而發生頭暈眼花胸悶欲嘔，同時表部之皮下神經弛張，汗腺失其括約，故自汗淋漓，瞳孔放大，體溫減低，四肢厥冷，血壓力降低，心房之搏動因之漸微，不能鼓動血行，故脈伏，全體神經失其作用，人身之知覺與運動廢矣。

救治之法有二：一爲手術治療，一爲藥物治療，手術治療即於患者之人中與中衝二穴，以爪重掐之，使覺痛感，而激動其知覺神經，更以溫開水灌之，以壓降神經之反射，或飲之以酒，而助血液之流行，則暈針可得而醒矣。藥物治療則可開西藥之阿摩尼亞，使病者嗅之，蓋阿摩尼亞，含有猛烈之臭味，亦足以激動神經故也。

16 針上灸

今之針家，多以針刺穴中，於針柄上，圍以艾團而燃之，雖失前人灸法之本意然頗著效果，助針力之不及，大概痰濕阻滯神經，或爲慢性之症，非針不能散其痰凝，促其血行也。金屬傳熱最速，熱力由針柄傳入深部，直達病灶，似較之徒以艾灼皮膚之爲愈矣。蓋不特無灸瘡之苦，且收效大也。

17 火針

古人於癰疽發背，及無名腫毒，潰膿在內，外面皮面頭瘡腫，則施行火針法。先於香油蘸針口上。燈火燒紅，按毒上軟處針之，其闊大者按瘡頭尾及中間，以墨點記，連下三針。然刺不可太深，恐傷經絡，亦不可太淺，太淺不能去病。適中乃合。刺則速退，不可久留。復以左手按其針孔，便能止痛。膿出自愈。

18 刺針之禁忌點

身體中何處應可針刺不能不有差異，刺針危險之所稱禁忌點，舉之於左：

1 延髓部　延髓部司生活機轉，有重要之中樞部，故名生活點。此部若誤深刺，刺戟延髓有關生命。

2 眼球　眼球不可直接刺針。

3 睪丸　睪丸不可刺針。

4 小兒之百會顖會穴。

5 大血管之淺在部。

6 胸腹部貴要內臟之直接針刺，例如喉頭，氣管，肺臟，心臟，脾臟，脾臟等。

19 針治之實施

患者在前請求治療，其實施順序大畧如左：

1 須問明病者之姓名，年齡，職業，住址，生活法，病歷，現在的情形，然後決定其病名。

2 既決定其病症，則當思應取何主要穴，次要穴。

3 當決定應灸應針？針治當取何手技？

4 當向病者解釋針灸時并無痛苦，以除去恐慌，而減少痛覺。

5 調節室內之空氣，不令太冷或太熱。

6 病人坐立臥之決定與實行。

7 檢點用針有無缺點？

8 嚴重的消毒。

9以爪重切穴上，使其神經痲木，減少針刺之痛苦。然後先針刺或繼之以灸治。

10記錄下列各項于印備之記錄簿內，以便查考。

姓名，住址，年歲，性別，職業，生活法，病歷，及現狀。針灸的經穴，年月日，次數，收費若干？功效如何等。

第四篇　灸治術

1 灸之種類

灸術大別爲有瘢痕灸與無瘢痕灸二種。

一有瘢痕灸　在人體一定局所，卽施灸點處。撚快子大之艾絨，蓋于施灸點之皮膚上（用薑片隔住）以線香火燃燒艾絨，使皮膚上起一種火傷，熱力直透組織，收效甚快。

二無瘢痕灸　不直接起皮膚上之火傷，用種種方法使間接在皮膚面與適度之溫熱之刺戟也。

1 溫灸　以溫灸器盛焚着之艾絨，置于穴上，用布隔離，久而久之，內部覺感熱力，血液發生變化，其效甚微。

2 雷火針　以沉香木香乳香茵陳羌活乾薑穿山甲各三錢麝香少許，蘄艾二兩，以

太乙神針
製法
艾絨三両
硫磺二分
麝香、松香
杜仲 乳香、
没药 羌活
丁香 独活
枳壳 细辛
桂枝 穿山甲
雄黄 白芷

棉紙半尺先鋪艾茵於上。次將藥末摻勻，捲極緊，外用鷄子淸代漿糊，糊一層薄紙，不使散開，留待取用，用法將火焚着，將紙六七層或白布六七層隔穴按之，每按二三秒鐘，離開約二三秒鐘再按之。如是往復，針藥之熱已退，再燃紅按之，每穴按數十次，內部覺熱停止。再按他穴。

3 太乙神針以人參四兩，三七八兩，山羊血二兩。千年健一斤。攢地風一斤。肉桂一斤。川菽一斤。乳香一斤。沒藥一斤。穿山甲八兩。小茴香一斤。蒼朮一斤。蘄艾四斤 甘草二斤。麝香四兩。防風四斤。共爲細末。用棉紙一層。高方紙三層。紙寬闊一尺三寸。長一尺二寸。將藥末。薄薄舖勻在上。一針約用藥七八錢。捲如花炮式。搓緊。製如雷火針式。用法以針端燃紅。卽以新紅布四五層包之。以按點穴上。若火旺布薄。當多添布數層。針時預備三四枝。一針已冷。卽換一針。必須用一助手候着。每穴宜連用七針。寒溼風痛皆宜之。

2 艾之選擇

孟子曰。七年之病。必求三年之艾。故灸病之艾。愈陳愈佳。艾爲一年生植物。屬菊科。在四五月採貯之。去其莖而取其葉。葉片以厚爲貴。厚則力雄。蘄州出者。葉厚而莖高大。最爲良品。稱爲蘄艾。取而貯藏之。灸病最良。

3 灸絨之製造

將艾收穫之後。去其莖而取其葉。使之乾燥。置竹篩中摩擦之。下以器皿收貯之。至再至三。至白淨如棉。方始可用。藏置乾燥器中。不使受濕。應用時。力足而效宏。

4 艾炷之大小及壯數之決定

行灸治上。對於艾炷之大小及壯數之決定。最爲重要。猶之普通醫師。應各患者而決定藥之分量也。蓋灸治雖萬人同一而炷之大小，與壯數則不可同一。大小壯數，如何決定，第一宜視其年齡，而後再視其體質與性之區別。營養良否，最後更因病症而適宜決定之。

小兒或大人體質之虛弱者，對于結核性疾患之消耗性病者，如艾炷不小，壯數不少，難堪火熱，施灸後必覺疲勞。此外對于痙攣性之疾患，以興奮而欲達鎮靜之目的者，以壯數多艾炷大為良。又對于痲痺性疾患，而欲達興奮之目的者，艾炷宜大。壯數宜少。

5 艾之化學成分

艾之化學的成分，昔時科學未進，未據化驗，今據京部加滕氏大阪市立衛生試驗所之分析結果如左：

一水分 八，九八
二含窒素有機物（主蛋白質） 一一，三一
三依的兒可溶性分 四，四二
四無窒素有機物（主纖維質） 六六，八五
又據某君之分析如左

一阿喜爾林（芳香性苦味質）　X
二伊鳴阿因（揮發性物質，燃燒之際分離）　X
三姆斯卡因（同上）　X

而其原素
一酸素　一，〇
二水素　二〇，〇
三炭素　一二，〇

6 艾炷所發之溫度

在石棉板上置電熱計之金屬線接合部，其上燃燒鷄卵大之艾。第一回表示五百七十五度。第二回表示五百六十度。又以艾置水銀槽部之周範，其熱爐溫度達攝氏三百六十度之上。復以三十七度之肉片，其上置電熱計之金屬接合部，燃燒巨大之艾炷於其上。前後四回，平均溫度，達二百九十度。又剃去家兎之腹部之毛，艾灸其部以寒暖計計之。平均巨大之艾二百度。大切艾九十三度五分。中切艾八十二度五分。中小切艾六十二度五分。小切艾六十一度。

但生物之溫度，比較的低，因血液不絕的奪濕而去也。又艾炷之大小及品質之良否，亦能使溫度生高低之差。

7 施灸部組織之變化

施灸時組織起灸痕者，艾火起火傷之結果也。施灸時其跡生水疱者，灸熱之溫度過高之關係也，蓋火熱弱時（約四十五度）其施灸之部，不過來一時性之充血。若稍强度（約五十度）卽招水疱，若再强度（五十五度）卽陷于壞死。倘更强度，（約六十度）其壞死更及深部。此施灸之瘢痕。初呈赤褐色。經過若干時日，漸次變爲灰白色或白色之斑點。若用顯微鏡視察灸痕部，其皮膚之表皮，失去固有之構造。表面呈覃滑。而乳頭毛囊汗腺之排泄管知覺神經末梢之一部等，一時俱破壞消失。其部之皮膚厚者減少。且知覺純痲，經過若干時日，再從其部。復生神經纖維。而知覺復原。從此灸痕部刺針，以破壞皮膚，則其部皮膚，已消失彈力性，針刺入時，不能抵抗，不感疼痛。又施灸部貼灸點膏藥。則膿及壞死性之物質，必充實於內部。所謂引起化膿者是也。灸痕部若化膿，其治愈後。灸痕必稍大。

8 灸治之時間

灸治時亦如針治同，凡大饑大渴，飯後，困倦等，皆不宜灸治，行路來者，亦當休息十數分鐘，使心平氣和，方可灸治也。

9 火

昔人燃艾火，取火鏡照陽光引燃。或用燈心蘸油引燃。似可不必。利便莫如用線香陰火引燃，既經濟，且利便。

10 取穴法

千金方云，凡灸火坐點穴則坐灸。臥點穴則臥灸。立點穴則立灸。須四體平直，毋令傾側，若傾側則穴不正，徒破好肉耳。明堂云須得身體平直，毋令捲縮。坐點毋令俯仰，立點毋令傾側。

11 灸治之注意

灸治時有數事不可不注意者：

1 當切病人之脈，如脈大者不可灸，即灸亦不可多。

2 熱度高者不可灸，灸則熱度上昇，於病人不利。

3 用薑墊穴，當安定于穴上，至灸至壯數足方除去，如中途移置薑片，恐要移動，穴不能正確。

12 灸後調攝法

灸後不可即飲茶及食。恐滯經氣，少停時刻，宜入室靜臥，遠人事，忌色慾。平心定氣。凡事俱要寬解。尤忌大怒大勞，大饑大飽，受熱冒寒。至於生冷瓜果亦宜忌之。

13 艾灸之善後

艾灸壯數過多，每每發生潰膿。方書中，每謂不潰膿則病不愈。蓋亦未必盡然！惟灸至潰膿，艾力已足，病痼當除。未潰者往往以艾火之力未足。每留病餘。如灸後覺痛或潰膿，當以葱湯洗之。（或以硼酸水洗之）敷上生肌玉紅膏，自能痊愈。如病未愈，當待灸瘡愈後再灸之。茲將生肌玉紅膏之製法述如下。

當歸二兩。白芷五錢，白蠟二兩、輕粉四錢，甘草一兩二錢。紫草二錢。血竭四錢。蔴油一斤。先將當歸白芷紫草甘草四味，入油內浸三日，大鍋內慢火熬微枯。細絹濾清，將油復入鍋內煎滾，入血竭化盡。次下白蠟。微火化開，即行離火，待將凝，入研細輕粉而勻和之，用時用布攤貼患處。用橡皮膏貼固，不使移動。

14 灸之適應症

施灸既有直接反射誘導三作用，不外佳良血液之循環，與一種之蛋白體療法，奏同一效果。故對于肺結核淋巴腺結核，肋膜炎，腺病性體質（一種之潛伏結核）等收偉大之效果。其外治一般神經痛筋肉之痙攣等，知覺運動之痲痺，反依于自律神經系作用之神經性消化不良，腸之運動機能減弱，而來常習便秘，又因其他充血而生之疾病，即種種炎症，子宮內膜炎，卵巢炎，喇叭管炎，膣加答兒，胃腸加答兒，鼻口腔喉頭氣管之加答兒，氣管枝喘息，其他淋病，睪丸炎，從淋毒而來之諸疾患，脚氣，筋肉關節僂痲質斯等，能有特殊之效果。

15 灸之禁忌點

禁忌點不可灸之部位，與針術之不能深刺身體之內部相同，若施灸于其部位，必大有害，茲舉禁忌點之部位如左：

一眼球　二睪丸

三大血管之深在部(例如橈骨動脈之下端總頸動脈之分歧)

四心臟部之多壯施灸。　五妊娠五個月以上之婦人下腹部之多壯施灸

其他如顏面手部等施灸，外面表現醜惡之瘢痕，有傷人體之裝飾美，可避者避之爲良。延髓部(啞門)之施灸亦屬大害。

第五篇　證治

（一）治療歌訣

1 百症賦

百症俞穴再三用心。顖會連於玉枕。頭風療以金針。懸顱頷厭之中。偏頭痛止。强間豐隆之際。頭痛難禁。原夫面腫虛浮。須仗水溝前頂。耳聾氣閉。全憑聽會翳風。面上蟲行有驗。迎香可取。耳中蟬鳴有聲。聽會可攻。目眩兮支正飛揚。目黃兮陽綱膽俞。攀睛攻少澤肝俞之所。淚出刺臨泣頭維之處。目中漠漠即尋攢竹三間。目覺䀮䀮急取養老天柱。觀其雀目肝氣睛明行間而細推。審他項强傷寒溫溜期門而主之。廉泉中衝舌下腫痛堪取。天府合谷鼻中衄血宜追。耳門絲竹空止牙疼於頃刻。頰車地倉穴正口喎於片時。喉痛兮液門魚際去療。轉筋兮金門邱墟來醫。陽谷俠谿頷腫口禁並治。少商曲澤血虛口渴同施。通天去鼻內無聞之苦。復溜祛舌乾口燥之悲。瘂門關衝舌緩不語而要緊。天鼎間使失音囁嚅而休遲。太衝瀉唇喎以速愈。承漿瀉牙痛而即移。項强多惡風束骨相連於天柱。熱病汗不出大都更接於經渠。且如兩臂頑麻少海就傍於三里。半身不遂陽陵遠達於曲池。建里內關掃盡胸中之苦悶。聽宮脾俞祛殘心下之悲凄。從知肋脇疼痛陽陵支溝有靈。腹內腸鳴下脘天樞能平。胸脇支滿何療。章門不容細尋。膈痛飲蓄難禁。膻中巨闕便針。胸滿更加噎塞。中府意舍所行。胸膈停留瘀血。腎俞巨闕宜徵。胸滿項强神藏璇璣宜試。背連腰痛白環委中曾經。脊强兮水道筋縮。目瞤兮顴髎大迎。痓病非顱息而不愈。臍風須然谷而易醒。委陽天池腋腫針而速散。後谿環跳腿疼刺而即輕。夢魘不安厲兌相諧於隱白。發狂奔走上脘同起於神門。驚悸怔忡取陽交解谿勿悞。反張悲哭仗天衝大橫須精。癲疾必身柱本神之令。發熱仗少衝曲池之津。歲熱時行陶道復求肺俞理。風癇常發神道還須心俞寧。濕寒濕熱下髎定。厥寒厥熱湧泉清。寒慄惡寒三間疎通陰郄諳。煩心嘔吐幽門開徹玉堂明。行間湧泉去消渴之腎竭。陰陵水分去水腫之臍盈。癆瘵傳尸取魄戶膏肓之路。中邪霍亂尋陰谷三里之程。治疸消黃諧後谿勞宮而看。倦言嗜臥往通里大鍾而鳴。咳嗽連聲肺俞須迎天突穴。小便赤澀兌端獨瀉太陽經。刺長强於承山。善主腸風新下血。針三陰於氣海。專司白濁從遺精。且如肓俞橫骨。瀉五淋之久積。陰郄後谿治盜汗之多出。脾虛穀以不消脾俞膀胱俞覓。胃冷食而難化。魂門胃俞堪責。鼻痔必取齦交。癭氣須求浮白。大敦照海患寒疝而善蠲。五里臂臑生癧瘡而能治。至陰屋翳療癢疾之疼多。肩髃陽谿消癮風之熱極。抑又論婦人經事改常。自有地機血海。女子少氣漏血。不無交信合陽。帶下產崩衝門氣衝宜審。月潮違限天樞水泉須詳。肩井乳癰而極效。商丘痔漏而最良。脫肛趨百會尾翳之所。無子搜陰交石關之鄉。中脘主乎積滯。外丘收乎大腸。寒瘧兮商陽太谿驗。痃癖兮衝門血海强。夫醫乃人之司命。非志立而莫爲。針乃理之淵微。須至人之指教。先究其病源。後攷其穴道。隨手見功。應針取效。方知玄理之玄。始達妙中之妙。此篇不盡。略舉其要。

2 席弘賦

凡欲行針須審穴。要明補瀉迎隨訣。胸背左右不相同。呼吸陰陽男女別。氣刺兩乳求太淵。未應之時瀉列缺。列缺頭痛及偏正。重瀉太淵不無應。耳聾氣閉聽會針。迎香穴瀉功如神。誰知天突治喉風。虛喘須尋三里中。手連肩脊痛難忍。合谷針時要太衝。曲池兩手不如意。合谷下針宜仔細。心痛手顫少海間。若要除根覓陰市。但患傷寒兩耳聾。金門聽會疾如風。五般肘痛尋尺澤。太淵針後却收功。手足上下針三里。食癖氣塊憑此取。鳩尾能治五般癇。若下湧泉人不死。胃中有積刺璇璣。三里功多人不知。陰陵泉治心胸滿。針到承山飲食思。大杼若連長强尋。小腸氣痛卽行針。委中專治腰間痛。脚膝腫時尋至陰。氣滯腰疼不能立。橫骨大都宜救急。氣海專能治五淋。更針三里隨呼吸。期門穴主傷寒患。六日過經猶未汗。但向乳根二肋間。又治女人生產難。耳內蟬鳴腰欲折。膝下明存三里穴。若能補瀉五會間。且莫向人容易說。睛明治眼未效時。合谷光明安可缺。人中治癲功最高。十三鬼穴不須饒。水腫水分兼氣海。皮內隨針氣自消。冷嗽先宜補合谷。却須針瀉三陰交。牙疼腰痛幷咽痺。二間陽谿疾怎逃。更有三間腎俞妙。善除肩背浮風勞。若針肩井須三里。不刺之時氣未調。最是陽陵泉一穴。膝間疼痛用針燒。委中腰痛脚攣急。取得其經血自調。脚痛膝腫針三里。懸鐘二陰三陰交。更向太衝須引氣。指頭麻木自輕飄。轉筋目眩針魚腹。承山崑崙立便消。肚疼須是公孫妙。內關相應必然瘳。冷風冷痺疾難愈。環跳腰俞針與燒。風府風池尋得到。寒傷百病一時消。陽明二日尋風府。嘔吐還須上脘療。婦人心痛心俞穴。男子痃癖三里高。小便不禁關元好。大便閉塞大敦燒。髖骨腿痛三里瀉。復溜氣滯便離腰。從來風府最難針。却用工夫度淺深。倘若膀胱氣未散。更宜三里穴中尋。若是七疝小腹痛。照海陰交曲泉針。又不應時求氣海。關元同瀉效如神。小腸氣撮痛連臍。速瀉陰交莫再遲。良久湧泉針取氣。此中玄妙少人知。小兒脫肛患多時。先灸百會次鳩尾。久患傷寒肩背痛。但針中渚得其宜。肩上疼連臍不休。手中三里便須求。下針麻重卽須瀉。得氣之時不用留。腰連胯痛大便急。必於三里攻其隘。下針一瀉三補之。氣上攻噎只管住。噎不住時氣海灸。定瀉一時立便瘥。用針補瀉分明說。

。更用搜窮本與標。咽喉最急先百會。太冲照海及陰交。學者潛心宜熟讀。席弘治病名最高。

3 行針指要歌

或針風先向風府百會中。或針水水分俠臍上邊取。或針結針着大腸二間穴。或針癆須向膏肓及百勞。或針虛氣海丹田委中脊。或針氣膻中一穴分分明記。或針嗽肺俞風門須用灸。或針痰先針中脘三里間。或針吐中脘氣海膻中補。番胃吐食一般醫。針中有妙少人知。

4 玉龍歌

扁鵲受我玉龍歌。玉龍一試絕沉痾。玉龍之歌眞罕得。留傳千古無差訛。我今歌此玉龍訣。玉龍一百二十穴。看者行針稱妙絕。但恐時人自差别。補瀉分明指下施。金針一刺顯明醫。傴者立伸僂者起。從此名揚天下知。

凡患傴者補曲池瀉人中。患僂者補風池瀉絕骨。

中風不語最難醫。髮際頂門穴要知。更向百會明補瀉。卽時甦醒免災危。

頂門卽顖會也。禁針。灸五壯。百會先補後瀉灸七壯。艾如麥大。

鼻流清涕名鼻淵。先瀉後補疾可痊。若是頭風并眼痛。上星穴內刺無偏。

上星穴流涕并不聞香臭者瀉。俱得氣補。

頭風嘔吐眼昏花。穴取神庭始不差。孩子慢驚何可治。印堂刺入艾還加。

神庭入三分。先補後瀉。印堂入一分沿皮透左右攢竹。太哭效。不哭難。急驚瀉。慢驚補。

頭項强痛難回顧。牙痛并作一般看。先向承漿明補瀉。後針風府卽時安。

承漿宜瀉。風府針不可深。

偏正頭風痛難醫。絲竹金針亦可施。沿皮向後透率谷。一針兩穴世間稀。

偏正頭風有兩般。有無痰飲細推觀。若然痰飲風池刺。倘無痰飲合谷安。

風池刺一寸透風府穴。此必橫刺方透也。宜先補後瀉。灸五壯。合谷穴針後灸二七壯。

口眼喎斜最可嗟。地倉妙穴連頰車。喎左瀉右依師正。喎右瀉左莫令斜。

不聞香臭從何治。迎香兩穴可堪攻。先補後瀉分明效。一針未出氣先通。

耳聾氣閉痛難言。須知翳風穴始痊。亦治項上生瘰癧。下針瀉動即安然。

身聾之病不聞聲。痛痒蟬鳴不快情。紅腫生瘡須用瀉。宜從聽會用針行。

偶爾失瘖音語難。啞門一穴兩筋間。要知淺針莫深刺。言語音和照舊安。

眉間疼痛苦難當。攢竹沿皮刺不妨。若是眼昏皆可治。更針頭維即安康。

攢竹宜瀉。頭維入一分。疼瀉。眩暈補。

兩睛紅腫痛難熬。怕日羞明心自焦。只刺睛明魚尾穴。太陽出血自然消。

睛明針五分。畧向鼻中。魚尾針透魚腰。卽童子髎。俱禁灸。

眼痛忽然血貫睛。羞明更澀最難掙。須得太陽針出血。不用金刀疾自平。

心火炎上兩眼紅。迎香穴內刺爲通。若得毒血搐出後。目內清涼始見功。

內迎香二穴在鼻孔中。用蘆葉或竹葉搐入鼻內出血爲妙。不愈再針合谷。

强痛脊背瀉人中。挫閃腰痠亦可攻。更有委中之一穴。腰間諸病任君攻。

委中禁灸。四畔紫脈上皆可出血。弱者愼之。

腎弱腰疼不可當。施爲行止甚非常。若知腎兪二穴處。艾火頻加體自康。

環跳能治腿股風。居髎二穴認眞攻。委中毒血更出盡。愈見醫科神聖功。

居髎灸則筋縮。

腿膝無力身立難。原因風濕致傷殘。倘知二市穴能灸。步履悠然漸自安。

俱先補後瀉。二市者風市陰市也。

髖骨能醫兩腿疼。膝頭紅腫不能行。必針膝眼膝關穴。功效須臾病不生。

膝關在膝蓋下。横針透膝眼。

寒濕脚氣不可熬。先針三里及陰交。再將絕骨穴兼刺。腫痛登時立見消。

陰交即三陰交也。

腫紅腿足草鞋風。須把崑崙二穴攻。申脉太谿如再刺。神醫妙訣起疲癃。

外崑針透內呂。

脚背疼起丘墟穴。斜針出血即時輕。解谿再與商丘識。補瀉行針要辨明。

行步艱難疾轉加。太衝二穴效堪誇。更針三里中封穴。去病如同用手抓。

膝蓋紅腫鶴膝風。陽陵二穴亦堪攻。陰陵針透尤收效。紅腫全消見異功。

腕中無力痛艱難。握物難移體不安。腕骨一針雖見效。莫將補瀉等閒看。

急疼兩臂氣攻胸。肩井分明穴可攻。此穴原來眞氣聚。補多瀉少應其中。

此二穴針二寸效。乃五臟眞氣所聚之處。倘或體弱暈針。補足三里。

肩背風氣連臂疼。背縫二穴用針明。五樞亦治腰間痛。得穴方知病頓輕。

背縫二穴在背肩端骨下。直腋縫尖。針二寸。灸七壯。

兩肘拘攣筋骨連。艱難動作欠安然。只將曲池針瀉動。尺澤兼行見聖傳。

尺澤宜瀉不灸

肩端紅腫痛難當。寒濕相爭氣血狂。若向肩顒明補瀉。請君多灸自安康。

筋急不開手難伸。尺澤從來要認眞。頭面縱有諸樣症。一針合谷效通神。

腹中氣塊痛難當。穴法宜向內關防。八法有名陰維穴。腹中之疾永安康。

先補後瀉不灸。如大便不通。瀉之則通。

腹中疼痛亦難當。大陵外關可消詳。若是脇痛并閉結。支溝奇妙效非常。

脾寒之症最可憐。有寒有熱兩相煎。間使二穴針瀉動。熱瀉寒補病俱痊。

間使透針支溝。如脾寒可灸。

九種心痛及脾痛。上脘穴內用神針。若還脾敗中脘補。兩針神效免災侵。

痔漏之疾亦可憎。表裏急重最難禁。或痛或痒或下血。二白穴在掌後尋。

二白四穴在掌後去橫紋四寸。兩穴相對。一穴在大筋內。一穴在大筋外。瀉五分。

取穴用稻心從項後圍至結喉。取草摺齊。當掌中大指虎口紋。雙圍轉。兩筋頭點到掌後背草盡處是。即間使後一寸郄門穴也。灸二七壯。針宜瀉。如不針灸騎竹馬。

三焦熱氣壅上焦。口苦舌乾豈易調。針刺關衝出毒血。口生津液病俱消。

手臂紅腫連腕疼。液門穴內用針明。更將一穴名中渚。多瀉中間疾自輕。

液門沿皮針向後。

中風之症症非輕。中衝二穴可安寧。先補後瀉如無應。再刺人中立便輕。

中衝禁灸。驚風灸之。

胆寒心虛病如何。少衝二穴功最多。刺入三分不著艾。金針用後自平和。

時行瘧疾最難禁。穴法由來未審明。若把後谿穴得。多加艾火卽時痊。

乳鵝之症少人醫。必用金針疾始除。如若少商出血後。卽時安穩免災危。

三稜針刺之。

如今癮疹疾多般。好手醫人治亦難。天井二穴多著艾。縱生瘰癧灸皆安。

宜灸七壯

寒痰咳嗽更兼風。列缺二穴最可攻。先把太淵一穴瀉。多加艾火卽收功。

癡呆之症不堪親。不識尊卑枉罵人。神門獨治癡呆病。轉手骨開得穴眞。

連日虛煩面赤粧。心中驚悸亦難當。若須通里穴尋得。一用金針體便康。

驚恐補。虛煩瀉。針五分。不灸。

風眩目爛最堪憐。淚出汪汪不可言。大小骨空眞妙穴。多加艾火疾應痊。

大小骨空不針。俱灸七壯。吹之。

婦人吹乳痛難消。吐血風痰稠似膠。少澤穴內明補瀉。應時神效氣能調。

刺沿皮向後三分。

滿身發熱痛爲虛。盜汗淋淋漸損軀。須得百勞椎骨穴。金針一刺疾俱除。

忽然咳嗽腰背疼。身柱由來灸便輕。至陽亦治黃疸病。先補後瀉效分明。

針俱沿皮三分灸二七壯。

腎敗腰虛小便頻。夜間起止苦勞神。命門若得金針助。腎俞艾灸起迍邅。

九般痔漏最傷人。必刺承山效若神。更有長强一穴是。呻吟大痛穴爲眞。

傷風不解嗽頻頻。久不醫時癆便成。咳嗽須針肺俞穴。痰多宜向豐隆尋。

灸方效。

膏肓二穴治病强。此穴原來難度量。斯穴禁針多着艾。二十一壯亦無妨。

腠理不密咳嗽頻。鼻流清涕氣昏沈。須知噫嘻風門穴。咳嗽宜加艾火深。

胆寒由是怕驚心。遺精白濁實難禁。夜夢鬼交心俞治。白環俞治一般針。

更加臍下氣海兩旁效。

肝家血少目昏花。宜補肝俞力便加。更把三里頻瀉動。還光益氣自無差。

脾家之症有多般。致成翻胃吐食難。黃疸亦須尋腕骨。金針必定奪中脘。

無汗傷寒瀉復溜。汗多宜將合谷收。若然六脈皆微細。金針一補脈還浮。

大便閉結不能通。照海分明在足中。更把支溝來瀉動。方知妙穴有神功。

小腹脹滿氣攻心。內庭二穴要先針。兩足有水臨泣瀉。無水方能病不侵。

七般疝氣取大敦。穴法由來指側間。諸經俱載二毛處。不遇師傳隔萬山。

傳屍癆病最難醫。湧泉出血免災危。痰多須向豐隆瀉。氣喘丹田亦可施。
渾身疼痛疾非常。不定穴中細審詳。有筋有骨須淺刺。灼艾臨時要度量。
勞宮穴在掌中尋。滿手生瘡痛不禁。心胸之病大陵瀉。氣攻胸腹一般針。
哮喘之症最難當。夜間不睡氣皇皇。天突妙穴宜尋得。膻中著艾便安康。
鳩尾獨治五般癇。此穴須當仔細看。若然着艾宜七壯。多則傷人針亦難。
氣喘急急不可眠。何堪日夜苦憂煎。若得風門鍼瀉動。更取氣海自然安。
腎強疝氣發甚頻。氣上攻心似死人。關元兼刺大敦穴。此法親傳始得眞。
水病之疾最難熬。腹滿虛脹不肯消。先灸水分并水道。後鍼三里及陰交。
腎氣衝心得幾時。須用金鍼疾自除。若得關元并帶脈。四海誰不仰明醫。
赤白婦人帶下難。只因虛敗不能安。中極補多宜瀉少。灼艾還須着意看。
吼喘之症嗽痰多。若用金鍼疾自和。俞府乳根一樣刺。氣喘風痰漸漸磨。
傷寒過經猶未解。須向期門穴上鍼。忽然氣喘攻胸膈。三里瀉多須用心。

脾泄之症別無他。天樞二穴刺休差。此是五臟脾虛疾。艾火多添病不加。口臭之疾最可憎。勞心只爲苦多情。大陵穴內人中瀉。心得清涼氣自平。穴法深淺在指中。治病須臾顯妙功。勸君要治諸般疾。何不當初記玉龍。

5 勝玉歌

勝玉歌兮不虛言。此是楊家眞秘傳。或針或灸依法治。補瀉迎隨隨手撚。頭痛眩暈百會好。心疼脾痛上脘先。後谿鳩尾及神門。治療五癇立便痊。(鳩尾穴禁灸。針三分。家傳灸七壯)。髀疼要針肩井穴。耳閉聽會莫遲延。(針一寸半。不宜停。經言禁灸。家傳灸七壯。)胃冷下脘却爲良。眼痛須覓清冷淵。霍亂心疼吐痰涎。巨闕着艾便安然。脾疼背痛中渚瀉。頭風眼痛上星專。頭項强急承漿保。牙腮痛緊大迎全。行間可治膝腫病。尺澤能醫筋拘攣。若人行步苦艱難。中封太衝針便痊。脚背痛時商邱刺。瘰癧少海天井邊。腹痛閉結支溝穴。頷腫喉閉少商痊。脾心痛亟尋公孫。委中偏療脚風纏。瀉却人中及頰車。治療中風口吐沫。五瘧寒多熱更多。間使大杼眞妙穴。經年或變勞怯者。痞滿臍旁章門決。噎氣吞酸食不投。膻中七壯除膈熱。目內紅腫苦皺眉。絲竹攢竹亦堪醫。若是痰涎并咳嗽。治却須當灸肺俞。更有天突與筋縮。小兒吼閉自然疎。兩手痠痛難執物。曲池合谷共肩髃。臂痛背痛鍼三里。頭風頭痛灸風池。腸鳴大便時泄瀉。臍旁兩寸灸天樞。諸般氣症從何治。氣海鍼之灸亦宜。小腸氣痛歸來治。腰痛中空穴最奇（中空穴從肺俞穴量下三寸及開三寸是穴。灸十四壯。）腿股轉痠難移步。妙穴說與後人知。環跳風市及陰市。瀉却金鍼病自除。（陰市雖云禁灸。家傳亦灸七壯）。熱瘡臁內年年發。血海尋來可治之。兩膝無端腫如斗。膝眼三里艾當施。兩股轉筋承山刺。脚氣復溜不須疑。踝跟骨痛灸崑崙。更有絕骨共邱墟。灸罷大敦除疝氣。陰交鍼入下胎衣。遺精白濁心俞治。心熱口臭大陵驅。腹脹水分多得力。黃疸至陽便能離。肝血盛兮肝俞瀉。痔疾腸風長强歎。腎敗腰疼小便頻。督脉兩旁腎俞治。六十六穴施應驗。故成歌訣顯鍼奇。

6 雜症穴法歌

傷寒一日刺風府。陰陽分經次第取。傷寒一日太陽風府。二日陽明之滎(內庭)。三日少陽之俞(臨泣)。四日太陰之井(隱白)。五日少陰之俞(太谿)。六日厥陰之經(中封)。在表刺三陽經穴。在裏刺三陰經穴。六日過經未汗。刺期門三里。古法也。惟陰症灸關元穴爲妙。一切風寒暑濕邪。頭疼發熱外關起。頭面耳目口鼻病。曲池合谷爲之主。偏正頭痛左右鍼(左疼針右)列缺太淵不用補。頭風目眩項振强。申脈金門手三里。赤眼迎香出血奇。臨泣太衝合谷侶。(眼腫血爛瀉足臨泣)耳聾臨泣(補足)與金門。合谷(俱瀉)鍼後聽人語。鼻塞鼻痔及鼻淵。合谷太衝(俱瀉)隨手取。口眼喎斜流涎多。地倉頰車仍可舉。口舌生瘡舌下竅。三稜出血非粗鹵。(舌兩邊下筋紫)舌裂出血尋內關。太衝陰交走上部。舌上生苔合谷當。手三里治舌風舞。牙風面腫頰車神。合谷(瀉足)臨泣瀉不數。二陵二蹻與二交。頭項手足互相與。兩井兩商二三間。手上諸風得其所。手指連肩相引疼。合谷太衝能救苦。手三里治肩連臍。脊肩心後稱中渚。冷嗽只宜補合谷。三陰交瀉即時住。霍亂中脘可入深。三里內庭瀉幾許。心痛翻胃刺勞宮。寒者少澤灸手指。心痛手戰少海求。若要除根陰市覩。太淵列缺穴相連。能住氣痛刺兩乳。脇痛只須陽陵泉。腹痛公孫內關爾。痢疾合谷三里宜。甚者必須兼中膂。（白痢合谷。赤痢小腸俞。赤白痢足三里中膂俞）。心胸痞滿陰陵泉。鍼到承山飲食美。泄瀉肚腹諸般疾。三里內庭功無比。水腫水分與復溜。脹滿中脘三里揣。腰痛環跳委中求。若連背痛崑崙試。腰連腿疼腕骨升。三里降下隨拜跪。腰連腳痛怎生醫。環跳行間與風市。腳膝諸痛羨行間。三里申脈金門侈。腳若轉筋眼發花。然谷承山法自古。兩足難移先懸鍾。條口鍼後能步履。兩足痠麻補太谿。僕參內庭盤跟楚。腳連脅腋痛難當。環跳陽陵泉內杵。冷風濕痺鍼環跳。陽陵三里燒鍼尾。七疝大敦與太衝。五淋血海男女通。大便虛秘補支溝。瀉足三里效可擬。熱閉氣閉先長強。大敦陽陵堪調護。小便不通陰陵泉。三里瀉下溺如注。內傷食積鍼三里。璇璣相應塊亦消。脾痛氣病先合谷。後刺三陰鍼用燒。一切內傷內關穴。痰火積塊退煩潮。吐血尺澤功無比。衄血上星與禾髎。喘急列缺足三里。嘔噎陰交不可饒。勞宮能治五般癇。更刺湧泉疾若挑。神門專治心癡呆。人中間使祛癲妖。尸厥百會一穴美。更針隱白效昭昭。婦人通經瀉合谷。三里至陰催孕妊。死胎陰交不可緩。胞衣照海內關尋。小兒驚風少商穴。人中湧泉瀉莫深。癰疽初起審其穴。只刺陽經不刺陰。傷寒流注分手足。太衝內庭可浮沉。熟此筌蹄手要活。得後方知度金針。又有一言眞秘訣。上補下瀉値千金。

7 長桑君天星秘訣

天星秘訣少人知。此法專分前後施。若是胃中停宿食。後尋三里起璇璣。脾病氣痛先合谷。後刺三陰交莫遲。如中鬼邪先間使。手臂攣痺取肩髃。脚若轉筋并眼花。先鍼承山次內踝。脚氣痠疼肩井先。次尋三里陽陵泉。如是小腸連臍痛。先刺陰陵後湧泉。耳鳴腰痛先五會。鍼刺耳門三里內。小腸氣痛先長强。後刺大敦不用忙。足緩難行先絕骨。次尋條口及衝陽。牙疼頭痛兼喉痺。先刺二間後三里。胸膈痞滿先陰交。鍼山飲食善。肚腹浮腫脹膨膨。先鍼水分瀉建里。傷寒過經不出汗。期門通里先後看。寒瘧面腫及腸鳴。先取合谷後內庭。冷風濕痺鍼何處。先取環跳次陽陵。指痛攣急少商好。依法施之無不靈。此是桑君眞口訣。時醫莫作等閑看。

8 馬丹陽天星十二訣

三里內庭穴。曲池合谷接。委中配承山。大衝崑崙穴。環跳與陽陵。通里并列缺。合担用法担。合截用法截。三百六十穴。不出十二訣。治病如神靈。渾如湯潑雪。北斗降眞機。金鎖教開徹。至人可傳授。匪人莫浪說。

三里　三里膝眼下。三寸兩筋間。能通心腹脹。善治胃中寒。腸鳴并泄瀉。腿腫膝胻痠。傷寒羸瘦損。氣蠱及諸般。年過三旬後。針灸眼便寬。取穴當審的。八分三壯安。

內庭　內庭次趾外。本屬足陽明。能治四肢厥。喜靜惡聞聲。癮疹咽喉痛。數欠及牙疼。虛疾不能食。針着便惺惺。（針三分灸三壯）

曲池　曲池拱手取。屈肘骨邊求。善治肘中痛。偏風手不收。挽弓開不得。筋緩莫梳

頭。喉閉促欲死。發熱更無休。偏身風癬癩。針着即時瘳針五分灸七壯

合谷　合谷在虎口。兩指歧骨間。頭痛并面腫。瘧病熱還寒。齒齲及衄血。口噤不開言。針入五分深。令人即便安。灸三壯

委中　委中曲脷裏。橫紋脈中央。腰痛不能舉。沈沈引脊梁。痠疼筋莫展。風痺復無常。膝頭難伸屈。針入即安康針五分禁灸

承山　承山名魚腹。腨腸分肉間。善治腰疼痛。痔疾大便難。腳氣并膝腫。展轉戰疼痠。霍亂及轉筋。穴中刺便安針七分灸五壯

太衝　太衝足大趾。節後二寸中。動脈知生死。能醫驚癎風。咽喉并心脹。兩足不能行。七疝偏墜腫。眼目似雲朦。亦能療腰痛。針下有神功針三分灸三壯

崑崙　崑崙足外踝。跟骨上邊尋。轉筋腰尻痛。暴喘滿中心。舉步行不得。一動即呻吟。若欲求安樂。須於此穴針針二分灸五壯

環跳　環跳在髀樞。側臥屈足取。折腰莫能顧。冷風并濕痺。腿胯連腨痛。轉側重欷歔。若人針灸後。頃刻病消除。針二分灸五壯

陽陵　陽陵居膝下。外廉一寸中。膝腫并痲木。冷痺及偏風。舉足不能起。坐臥似衰翁。針入六分止。神功妙不同。灸三壯

通里　通里腕側後。去腕一寸中。欲言聲不出。懊憹及怔忡。實則四肢重。頭腮面頰紅。虛則不能食。暴瘖面無容。毫針微微刺。方信有神功。針三分灸七壯

列缺　列缺腕側上。次指手交叉。善療偏頭患。遍身風痺痲。痰涎頻壅上。口噤不開牙。若能明補瀉。應手即如拏。針三分灸七壯

9 四總穴歌

肚腹三里留。腰背委中求。頭項尋列缺。面口合谷收。

10 肘後歌

頭面之疾針至陰。腿脚有疾風府尋。心胸有病少府瀉。臍腹有病曲泉針。肩背諸疾中渚下。腰膝強痛交信憑。脇肋腿疼後谿妙。股膝腫起瀉太衝。陰核發來如升大。百會妙穴眞可駭。頂心頭痛眼不開。湧泉下針足安泰。鶴膝腫痛難移步。尺澤能舒筋骨疼。更有一穴曲池妙。根尋源流可調停。其患若要便安愈。加以風府可用針。更有手臂拘攣急。尺澤刺深去不仁。腰背若患攣急風。曲池一寸五分攻・五痔原因熱血作。承山須下病無踪。哮喘發來寢不得。豐隆刺入三分深。狂言盜汗如見鬼。惺惺間使便下針。骨寒髓冷火來燒。靈道妙穴分明記。瘧疾寒熱眞可畏。須知虛實可用意。間使宜透支溝中。大椎七壯如聖治。連日頻頻發不休。金門刺深七分是。瘧疾三日得一發。先寒後熱無他語。寒多熱少取復溜。熱多寒少用間使。或患傷寒熱未收。牙關風壅藥難投。項強反張目直視。金針用意列缺求。傷寒四肢厥逆冷。脈氣無時仔細尋。神奇妙穴眞有二。復溜二寸順骨行。四肢回還脈氣浮。須曉陰陽倒換求。寒則須補絕骨是。熱則絕骨瀉無憂。脈若浮洪當瀉解。沈細之時補便瘳。百合傷寒最難醫。妙法神針用意推。口噤眼合藥不下。合谷一針效甚奇。狐惑傷寒滿口瘡。須下黃連犀角湯。虫在臟腑食肌肉。須要神針刺地倉。傷寒腹痛虫尋食。吐蚘烏梅可用攻。十日九日必定死。中脘回還胃氣通。傷寒痞氣結胸中。兩目昏黃汗不通。湧泉妙穴三分許。速使周身汗自通。傷寒痞結脇積痛。宜用期門見深功。當汗不汗合谷瀉。自汗發黃復溜憑。飛虎一穴通痞氣。祛風引氣使安寧。剛柔二痙最乖張。口禁眼合面紅粧。熱血流入心肺腑。須要金針刺少商。中滿如何去得根。陰包如刺效如神。不論老幼依法用。可教患者便抬身。打撲傷損破傷風。先於痛處下針攻。後向承山立作效。甄權留下意無窮。腰腿痛疼十年春。應針環跳便惺惺。大都引氣探根本。服藥尋方枉費金。脚膝經年痛不休。內外踝邊用意求。穴號崑崙并呂細。應時消散卽時瘳。風痺痿厥如何治。大杼曲泉眞是妙。兩足兩脇滿難伸。飛虎神灸七分到。腰軟如何去得根。神妙委中立見效。熟讀此章肘後歌。臨診應病可不憂。

（二）治療各論

一腦神經系疾患

1 腦溢血　中風　卒中

原因　本病從頭部之充血，鬱血，血管之變質等而來之腦疾患。皆起腦動脈之病的變化，因脈管脆弱之病變。致小動脈破裂，而有腦髓內出血之疾患。就中以發生於腦動脈之粟粒動脈瘤爲最頻繁。此病老人最多，因高年有血管之自然變化也。壯年亦常見之。而以酒精及鉛中毒，梅毒，痛風，心臟瓣膜病，腎臟炎，肥胖家等起循環障害爲本病之誘發，其他如憤怒，努責，等之精神感動，身體之劇動，飽食暴飲，溫浴等致血行亢盛亦爲本病之誘因。又體質肥滿，短矮。頸短之多血人卽名卒中質者，易犯此病，亦有因遺傳之關係而來者。

症候　本病有先發前兆者。亦有並無前兆，卒然而來，陷于不省人事，卒然而倒者。此名卒中發作。其前驅症爲頭重，頭痛，眩暈，眼火閃發，耳鳴，精神興奮。不眠，一時性言語障害等。因而知覺障害運動障害。

卒倒之患者，神識乏失，陷于昏睡。運動知覺及反射器能完全消失。瞳孔不散大而縮小。其反應遲鈍，呼吸深長而帶鼾聲。顏面往往潮紅。脈搏大而強。緊張不整。且結代，此時除呼吸及心動可認識外。殆與死者無異。而常常來糞尿之失禁。

又于發作中欲診定何方面麻痺實屬難能。其麻痺方面之皮膚，以反射作用消失。得畧畧認知之。如斯卒中發作之持續，長短甚異。或數時間卽終局，或亘數日之長。輕者於一定時日後。次第醒覺。但高度者因心臟麻痺或呼吸麻痺竟致于死。此稱之謂電擊中風。此病卽僥倖覺醒。患者呈顯著之不安而來體溫昇騰至於癲廢症狀。卽殘留殘留性病竈症候。

癲廢症狀於發作後來半側運動麻痺。其出血病竈，多來於內囊附近。致身體半側之痲痺。卽發他側之偏癱。而來顏面神經上肢及下肢之痲痺又時時隨伴以知覺症狀。或舌下神經之痲痺。後大回復。其他因舌及顏面之不全痲痺來口角下垂之言語障害，嚥下困難。如斯諸症狀，經過一定時間而漸次消失。僅不過遺留其一部。尤以壯年者被侵之場合。因運動而即可回復。而下肢之痲痺較上肢爲輕，且易緩解。

疾病既久，則追隨而發續發的變性。來痲痺側之筋之短縮。手指曲屈，前下膊及腿亦短縮屈曲，是所謂半身不遂性位置，而病側之腱反射尤以膝蓋腱反射每常亢進。

治療 1 形寒發熱，身重疼痛，肌膚不仁，筋骨不用，頭痛項强，角弓反張者，針合谷曲。池陽輔陽陵內庭風府肝兪。

2 中風四肢痲痺不仁者針肘髎上廉魚際風市膝關三陰交。

3 全身不能動疼痛甚者，針少商尺澤委中出血。針合谷曲池肩髃陽陵絕骨崑崙環跳人中。

4 口眼喎斜灸地倉頰車聽會。斜向左者，針灸右面。

5 半身不遂及左癱右瘓。百會合谷（先針無病一邊後灸有病一邊）曲池肩髃手三里崑崙絕骨陽陵泉環跳足三里肝兪

6 手拘攣或痲木　手三里肩髃曲池曲澤間使後谿合谷。

7足拘攣或痲木　行間邱墟崑崙陽輔陽陵泉足三里。
8口噤不開灸頰車百會人中。
9痰延上壅　灸關元氣海百會。

2腦貧血　血虛頭暈

原因　本病因俄然多量之失血。或血液集注于臟器之場合。例如因大出血產後及劇甚之下痢，或心臟衰弱。腦之血液輸導障害。以及腦血管之攣縮。精神之感動。大動脈瓣孔狹窄等而來。

症候　急性症顏面蒼白。流冷汗。四肢厥冷。重聽耳鳴。心悸亢進。心窩覺苦悶。而發惡心嘔吐，視力減退而黑暗。神識朦朧。而至卒倒者。此稱之曰失神。此際或發全身之痙攣。發作時間數秒乃至數分，大多能醒覺。亦有遲致死者。此種情形。可稱神經性卒中。但失神中其反射器能消失。瞳孔散大。脈搏細小不整。

慢性貧血症發於各種之貧血。及數囘出血之場合。頭重頭痛。眩暈。耳鳴。及眼火閃發。視力並記憶力減退，不眠幻覺等，因之而來，甚致卒倒。又小兒因頑固之下痢的結果。亦呈腦貧血病狀。

治療　急性針十井穴　委中曲澤出血。

頭眩暈而嘔　針內庭豐隆中脘風池解谿灸風池上星神庭百會。

頭　眩　暈　針申脈足三里　灸風池上星前谷足三里後頂腦空百會。

頭昏目赤　針攢竹豐隆風府。

3 癲狂癇

原因　本病伴以人事不省。起于發作性之全身痙攣。初發于七歲乃至廿歲之間。而來于遺傳的疾患者亦不少。其他從酒精中毒，姙娠時母之精神感動而發者亦多。而頭部之外傷及傳染病等，亦爲本病之原因。又有從耳內異物，耳炎，齲齒，腸寄生蟲生殖器疾患而來者。

一 癲

症候 喜笑或歌或悲或泣語言顚倒。穢潔不知，精神恍惚如醉如癡，時輕時劇。

治療 針人中少商隱白大陵申脈風府頰車承漿，勞宮上星會陰曲池舌下中縫出血間使後谿。或灸心兪三四壯。

喜笑無時 針人中陽谿列缺大陵神門

呆而不靈 灸少商心兪針神門湧泉中脘

多悲泣 灸百會大陵針人中

二 狂

症候 善怒無常，歌哭無時，妄言妄詈。自高自尊，少臥不飢，兩脈多滑大。傷寒陽明熱盛而發狂者，登高而歌。棄衣而走。踰牆上屋等。

治療 針人中少商隱白大陵申脈風府頰車承漿勞宮上星會陰曲池舌下中縫出血。間使後谿。

三 癎

症候 發時猝然眩仆。瘈瘲抽搐。目上視。口眼喎斜。口吐涎沫。忽作五畜之鳴。昏不知人。移時卽醒。有一月數發。或數月一發。兩脈緩細，分作五癎

治療 羊癎 吐舌目瞪。聲如羊鳴。灸天井巨闕百會神庭大椎湧泉

牛癎 直視腹脹。灸鳩尾大椎間使湧泉

猪癎 如尸厥吐沫。針崑崙僕參湧泉人中灸勞宮百會率谷腕骨間使少商

鷄癎 善驚反折手掣目搐。針金門灸靈道足臨泣內庭

馬癎 張口搖頭反張。灸僕參風府神門金門百會神庭

五癎吐沫 灸後谿神門少商間使心俞

目黑眼上視。昏不識人。灸顖會行間巨闕

狀如鳥鳴，心悶不喜聞語，灸鳩尾

注意 凡灸癎必須先下之。乃可灸。不然則氣不通，能殺人，針則不拘

4 不眠 失眠

原因 思慮過度。外來之刺戟。神經興奮。乃爲驚惕，畏恐，多思，終夜不寐。

症候 轉輾不寐。心煩焦急。善驚恍惚。

治療 針大淵公孫隱白肺俞陰陵泉三陰交

5 三叉神經痛 顏面痛

原因 主因爲寒冒，痲拉利亞梅毒等。其他因頭蓋之骨膜炎，齒牙之疾患。口腔耳及眼疾患等。往往來反射性的疾患，子宮卵巢歇斯的里等之場合亦有發者。

症候 本病常來於偏側，尤於其第一枝上眼窩神經爲多，其疼痛發作通常甚猛烈，往往顏面知覺過敏及知覺亡失並發痙攣。脈管運動神經及分泌來障害。（顏面皮膚及粘膜蒼白或潮紅。淚液流涎。唾液分泌旺盛。）又因神經枝而異。

第一枝名眼神經痛或前頭神經痛。其疼痛在前額眼球上眼等。壓痛點在前頭骨之上顏窠孔。

第二枝名上額神經痛。發於上顎神經之區域者爲多。其疼痛在下眼瞼上唇頰部鼻翼上顎齒等。壓痛點在下眼窠下。

第三枝名下顎神經痛。其痛在下顎及下齒列。下唇頤部頰粘膜。時時波及于舌。壓痛點在下顎骨之前顎孔。

治療　針合谷曲池頰車地倉承漿肩顒童子髎翳風。

6　常習頭痛

原因　本病從腦疾患。急性傳染病。貧血症而來。與所謂症候的頭痛者有異。來于獨立的，有比較的頻繁之疾患。

本病起于三叉神經及大小後頭神經爲頭蓋內之神經痛。未來之原因未知。其補助原因爲腦之過勞。頭部充血。神經衰弱。精神亢奮。不眠。貧血。中毒。胃腸之疾患。寒冒等。又體溫急急上昇時。亦多件以頭痛。

症候　疼痛之所在。在前頭部後頭部顛頂部。顳顬部。或頭部全體。或限于一局部。

其性狀甚多。或如裂。或如灼。或如刺。或如壓重而感不快。疼痛之持續者甚稀。大多時時一進一退。患者之頭部知覺過敏。嫌忌就業。悪心嘔吐。食思不振。思考力減退。遂致陷于憂鬱。不耐精神作業。

治療 腦頂痛 針上星風池百會天柱少海

止頭痛 針上星前頂百會合谷豐隆崑崙俠谿

額角眉稜痛 攢竹合谷神庭頭維解谿

偏頭痛 頭維絲竹空攢竹風池前頂上星俠谿液門

7 坐骨神經痛 腰痛

原因 本神經痛極多存在之所。因寒冒外傷過勞，骨盤內之腫瘍等之壓迫而易發。其他亦有從痲刺利亞梅毒關節僂痲質斯。淋疾糖尿病痛風中毒脊髓癆及便秘等而發者。以廿歲至六十歲之男子爲多。

症候 本病之疼痛，其始發自腰部。大多發自臀部之坐骨神經之派出部。沿大腿及大腿之後面而波及于足蹠。亦有沿下腿前側腓骨神經而波及於足蹠者。其疼痛大抵在該神經之全路一致。有時限局於上部或下部。此疼痛之發作。尤甚於夜間。而有持續性。發時如灼如裂如絞痛不能忍。劇痛大多從上方散放于下方。因脚之運動壓廹及冷却而更增劇。或因噴嚏咳嗽等而誘起其發作。

本患者因患側之動作或欲減輕其疼痛因而傾斜體軀，則來脊髓之側灣。亦往往有患部呈輕度之知覺異狀。筋肉瘦削。或不全痲痺等。本病之壓痛點。在坐骨結節與大轉子之間，大腿後面之中央膝膕窩　脛骨神經　腓骨小頭之直下。　腓骨神經　等。

治療　針委中環跳大都崑崙灸腎俞。

8 關節神經痛

原因　多發於貧血或歇斯的里。或以關節之外傷，寒冒生殖器疾患等爲誘因。大概男子多於女子。

症候　本病于關節呈神經痛樣之發作性疼痛，大多侵於膝關節及股關節。其疼痛之性狀，如引如裂如刺。放散于上方或下方。且起筋肉痙攣。皮膚知覺過敏，輕壓之發疼痛，强壓之却緩解，患者伸展患腳覺嫌忌運動。本病若永永持續。則來筋肉之瘦削。

本病易誤認爲關節炎。然其異點，則腫脹缺如。疼痛不定。因之精神狀態蒙影響或意志他轉，若加壓迫于關節，則不感疼痛。

治療　股關節環跳風市委中。　膝關節膝眼陽陵泉曲泉絕骨。

9 脊髓癆

原因　本病不問其爲先天性或後天性。總之梅毒爲本病最頻繁之原因。其他有從脊髓之外傷寒冒精神過勞房事過度，頻回之分娩，及急性傳染病等而發者。尤以三十歲乃至四十歲之男子爲多。

症候　本病係脊後索即知覺道起灰白性變性，此疾患特異之症候有如左三期之區別。

第一期　各神經痛期。下肢起神經痛樣之疼痛，膝蓋腱反射消失。軀幹訴帶狀感覺，因而視神經萎縮。瞳孔起變化。視力起障害。膀胱及直腸器能等亦見障害。

第二期　名運動變調期。此期中下肢漸次起共同運動之障害。致步行困難。又閉目直立，身體有動搖傾倒之傾向。

第三期　名截癱期。下肢完全麻痺，不能步行，致常臥褥而生褥瘡。膀胱直腸及生殖器起障害。或發尿閉便閉。或二便失禁，生殖器障害。尤以男子爲多，往往因色慾亢進之後，陷于陰萎。

其他內臟發症，爲胃腸及腎臟等訴疼痛，又呼吸來困難，常常來膝關節之腫脹。

治療　腰兪陽陵絕骨大杼承山崑崙太冲中封曲泉環跳。上髎中髎次髎下髎

10 神經衰弱

原因　最頻繁之原因爲精神過勞，手淫及房事過度。濫用酒精等，亦爲其原因，其他以腸窒扶斯感冒梅毒慢性消化器病及慢性生殖器病等爲誘因。

症候　本病之特徵爲神經器能之異常亢奮，且易疲勞，即頭重頭痛眩暈耳鳴，眼火閃發，視力減弱，心悸亢進不眠多夢，嫌忌就業，記憶力減弱。患者遇有小事。輙異常憤怒，易於變心。或鬱鬱而易沉于悲哀。

又患者易陷於恐怖狀態，往往在通行之塲所，而時懷不側之恐。發此者名恐塲症，又有忌河流者曰恐河症。總之對于事事物物，均起恐怖之觀念，甚至來神經衰弱症性癲狂。

其他爲內臟障害，即心動疾速或遲徐。或起神經性消化不良。腹鳴鼓腸便通不正，輕度之身體運動，即覺心窩苦悶，呼吸迫促，或來膀胱筋肉之痲痺或痙攣。倘有一事係從手淫暴行而起者，則來早時射精，遺精，陰萎等症。

治療　神門足三里百會湧泉合谷關元膏肓俞肺俞大椎。灸肝俞脾俞腎俞。

二　消化器疾患

1 舌病

原因　國醫稱心火盛。或傷寒熱毒。

症候　舌乾無津。舌破出血。舌瘡糜爛。舌强難言。重舌則舌下焮腫如舌狀。木舌則舌腫滿口而語蹇。舌卷舌急。舌縱不收。

療治　舌乾　廉泉刺出血。

舌瘡　針承漿人中合谷金津玉液委中後谿

舌强　針啞門少商魚際中冲陰谷然谷

重舌　針十宣金津玉液合谷勞宮人中海泉

舌出血　針內關太冲三陰交

舌腫難言　針廉泉金津玉液天突風府然谷

舌卷　針液門二間

舌縱不收　針陰谷風府

舌急不能伸出　針啞門

2 扁桃腺炎 喉痺

原因 春秋二季凉溫之候，多往往起因於寒冒。亦有漸漸流行者。

症候 急性症其初悪寒疼痛，舌上現厚苔。有熱候。咽頭部感乾燥及搔痒。扁桃腺肥大赤腫。咀嚼及咽下困難。甚致兩側相接觸。致呼吸困難。此腫大若在一側之時。則壓排於他側。此病又有從咽頭加答兒誘發者。本病又名咽頭狹窄。

慢性症漸次發生各急症之徵候。起扁桃腺之肥大，時時發痙攣狀之咳嗽。放鼻聲。或咽頭腫起而妨嚥下。或從急性而轉。

治療 針頰車少商經渠合谷豐隆湧泉關冲中渚太谿天突尺澤。

3 食道狹窄 膈食

原因 食道狹窄。漢法醫稱隔噎。原因從食道癌腫而來者最多。又有因異物之嵌入，患爛喉痧後之瘢痕收縮。食道痙攣。或者食道周圍因大動脈瘤，心囊炎。橫隔膜腫瘍等之壓迫而來者。

症候 其初訴硬物嚥下之困難。只能取液狀之食物。其後狹窄愈甚，雖流動物亦不能嚥下。甚致時時伴以疼痛，此狹窄性嚥下困難，因食物攝取之不全。漸々呈飢餓之狀態。其狹窄之上部。發生憩息之症狀。斯時患者甚形羸瘦，顏面蒼白。呈一見而知有疾患之狀態。此徵候漸漸增進。終以死亡。

治療 1 胃脘脹滿。嘔吐清水。四肢厥冷。食不得入。針中脘足三里公孫。灸膻中膈俞中脘足三里公孫血海。

2 胃脘熱甚口苦舌燥煩渴不安食入則吐。針內庭陽輔然谷陽谿太白大陵膈俞大腸俞。

3 中脘滿痛。痛引背脊。胸悶氣逆。食不得入。針中脘膻中氣海列缺內關胃俞三焦俞。灸膻中氣海胃俞三焦俞。

4 神經性胃痛

原因　精神過勞。運動不足。時間不規則等，及其他多少遺傳性之頃向。

症候　食慾不振。胃部有不快之疼痛。全身倦怠，感腹重腹脹。來噯氣嘈雜等。精神易興奮。來便秘之傾向。往往三四日一便。大多質硬而量不充分。症狀進步則來惡心嘔吐。身體漸次衰弱。

治療　針足三里中脘內關。

5 胃炎

原因　爲暴食暴飲。不消化物。酸敗物。或寒熱過度之物。其他魚菌中毒。腸炎波及外傷等。又或有劇甚熱性病之前驅症。

症候　發微熱。頭痛。睡眠不安。四肢疲倦。舌苔。無味。嫌食消渴。噯氣呑酸。惡心嘔吐。胃痛。胃部痞滿。上腹膨出。下痢或便秘。尿量減少等諸症。

治療　胃俞公孫內關足三里

6 胃潰瘍　胃癰

原因　本病因血行障害於胃粘膜之一部而來。其部之胃液因其組織缺損。多於胃之後壁發生圓形之潰瘍　。而胃部之外傷。過熱之食餌。貧血。　肺結核。梅毒等爲誘因。

症候　本病之發大概緩慢。迅速爲少。本病必發之症候爲增劇之胃痛及嘔吐。尤爲吐血。胃痛多在食後漸次發作。若按壓胃部則覺疼痛。舌呈赤色。食慾不振。食味變化。雖胃痛亦可食。食後忽發嘔吐。爾後忽然吐血。血液之色暗紅。與食物並吐出。若出血之量多。則來頭痛暈眩。心悸亢進。面色蒼白。脈細小。失神煩悶。其次必來暗褐色之糞便。及卒然眩暈卒倒。內部出血之徵。若泄血便。卽可知爲胃出血。

胃壁潰瘍而穿孔。則發腹膜炎。疼痛甚劇。嘔吐。鼓脹。顏色憔悴。脈細少。至陷于衰弱。

治療　針尺澤支溝內關足三里脾兪。灸肘尖命門。足三里。脾兪。

7 神經性消化不良

原因　神經衰弱。歇斯的里等最多。其他因吸烟飲酒多食及腺病精神過勞等而發。

症候　食後覺胃部壓重，好辛鹹物。發噯氣嘈雜。悪心嘔吐。或在空腹時感疼痛樣之不快。全身倦怠。漸漸呈頭痛眩暈。心窩苦悶。心悸亢進。不眠。或精神之抑鬱。本病于胃中僅食物的消化困難。於胃之器質並無變化。不過胃之運動性器能減弱而已。

治療　手足三里胃兪脾兪上脘中脘下脘

8 胃痙攣

原因　從胃自身之疾患而起。其他因神經衰弱脊髓癆腦膜炎。官能的神經系疾患。或酒精嗎啡茶烟草等之吸收。刺戟胃神經而起。而從子宮疾患。月經不調。卵巢疾患等反射的來者尤爲頻數。

症候　本病之主徵。胃部有劇甚之疼痛。如切如絞。又以覺疼痛如刺者爲多。屈上體則往往放散于左胸部。左側肩胛部。其甚時流汗。手足厥冷。有時昭於人事不省。發作之持續亘一二分時乃至數時間。漸次緩解。發噯氣嘔吐。疼痛全止。再本病之特性。如加强壓于胃部。則可緩解疼痛

治療 針中脘內關。灸臍中脘足三里。天樞。

9 神經性嘔吐

原因 從腦震盪。腦膜炎脊髓痨等種種之腦脊髓疾患卽中樞的作用併發。或于胃中受直接的刺戟。及胃中被外壓中毒而起。又有因咽頭之刺戟。腹膜炎姙娠女子生殖器病。胆石腎石腸寄生虫等反射的作用而起者。

症候 本病頻同反覆嘔吐。每食後卽發。患者營養大受障礙。但太多無永永持續者。又本病必先惡心以催嘔吐。

治療 口渴作熱食入則吐或苦或酸頭目昏眩　針內庭太冲合谷曲澤通里陽陵太谿通谷

嘔吐稀涎面青肢冷胃脘不舒口鼻氣冷不渴　灸中脘內關氣海胃兪間使三陰交膻

中。

乾嘔不止有聲無物　針大淵大陵胆兪尺澤灸間使卅壯隱白章門乳根。

10 胃阿篤尼症

原因　爲筋肉薄弱腹壓弛緩榮養不良。或因貪食而胃過勞等。

症候　少量之攝食，即起胃部膨滿及壓重之感。其他胃部有振水音。食物久滯胃中。而起異常醱酵，胃常有充滿之狀態。但食物多不變化。其他多呈神經衰弱樣症候，使患者飲用少量之水則胃之大灣卽降臍下。

治療　灸臍中下脘巨闕膈兪胃兪。

11 腸加答兒泄瀉

原因　本病多因飲食物之不攝生——如暴飲暴食。或食未熟之果物，腐敗之食物。飲汚水冷水等而發。或因藥物之中毒，下腹部及下脚之冷却。氣候之不順，及腸窒扶斯，赤痢等傳染病異物之停滯而起。

症候 下痢腹痛及腸鳴爲主徵。其下痢一日三四乃至十數回。腹中雷鳴。腹痛，下腹膨滿。全身倦怠，口渴利尿減少。間有輕度之發熱。糞便呈褐赤黃色或帶綠色。不消化。混食物之殘片及粘液，尤有惡臭。又因所犯患部之異，而各異其狀。卽在小腸者下痢欠缺而徐。臍圍者有腹痛。十二指腸者徐徐發黃疸。結腸者發水泄覺疝痛，在結腸之下部及直腸者，便意頻數。

治療 腸鳴腹痛大便泄瀉小便水少四肢厥冷者。針中脘灸神闕三陰交中極氣海天樞關元。

泄瀉黃糜，氣穢肛門灼熱口渴煩熱小便短赤者　針太白太谿曲池足三里陰陵泉曲澤

12 神經性腸疝痛

原因 本病因腸器質之變化，發腸膜神經叢或下腹神經叢之疼痛。此因中樞性之神經

衰弱，貧血脊髓癆等而發。或因不攝生或從糞尿及瓦斯之積滯等直接刺戟腸而來。或從腸寄生蟲，及子宮腎臟，肝臟等疾患反射的而來。又有因鉛銅等諸種之中毒而來者。

症候 本病之主徵爲發作性之腹痛。其痛從臍部延及於四方。或輕易或劇甚。疼痛發作之長短度數無一定。腹筋大多爲强度緊張。若上體前屈，壓住患部，則覺輕快，故患者每以自己之兩手。壓迫腹部，以求緩解疼痛。疼痛劇甚時則心悸亢進。脈調不整。呼吸困難。顏面呈苦惱甚至額流冷汗。往往至於失神。本症若從糞尿之積滯及氣體卽瓦斯鬱滯腸中而來者，其痛發于結腸之下部。漸漸及于臍部。腹部膨脹。患者覺苦悶，發腹鳴惡心嘔吐，若便通排尿及噯氣或放屁則忽緩解。

治療 灸獨陰大敦關元針三陰交氣海中極章門。

13 常習便秘

原因　便秘爲腸之運動神經之疾患。卽因腸筋肉之弛緩。致腸之蠕動器能減衰。或分泌物之減少也。其原因由于運動不定，攝生不正。或神經衰弱，或在女子姙娠之時，或腦脊疾患而發。

症候　亘久時之便秘爲主徵。此便秘每涉一週或二週以上之久。宿便貯於腸內，非經下劑及灌腸，不得通便。因之腹部多膨滿。重壓其部，覺有高度膨滿以致全身營養障害，引起種種神經症狀。卽頭痛頭重，眩暈全身倦怠不眠。神思不振。食慾不振等。

治療　針支溝照海承山太谿太冲太白灸章門大腸俞臍中關元天樞。

14 小腸疝氣痛

症候　少腹有疝形如鷄卵。數發以後。漸大而長。從少腹墜入陰囊甚易。返位甚難。下體稍受微寒卽發。發則劇痛非常。必俟塊中冷氣漸轉暖熱，始得軟溜而縮入。否則如臥酒瓶于胯上。半在小腹，半在陰囊。堅硬如石。其氣迸入前後腰臍

治療　各道筋中同時俱脹○上攻入胃，大嘔大吐○上攻顚頂戰慄畏寒○

針大敦長强灸大敦長强○臍下五寸兩傍各一寸○關元兩傍各三寸○或以淨草一條度病人兩口角爲一折摺斷○如此三折則摺成三角○以一角安臍中心○兩角在臍之下，兩旁尖盡處是穴○若患在左則灸右○在右則灸左○兩邊俱患○即兩穴皆灸○艾炷則麥粒大○灸十四壯○或廿一壯○

15　痔

原因　本病因痔靜脈之擴張○起鬱血之容易，即常習便秘直腸癌○子宮腫瘍姙娠坐業家及其他肝臟肺臟腰心臟等之疾患，因而起血行障害之結果者也○此病以卅歲至五十歲之男子爲多○

症候　痔疾之主徵○在肛門內外生結節，而時時破綻出血○在肛門之內部者名內痔○在肛門之外部者名外痔○其自覺症○輕重甚相異○輕者肛門搔癢緊張及疼痛○自有一種苦悶○以頭部充血，頭痛眩暈，心悸亢進等爲前驅，但出血後苦悶始緩解。然頻頻反覆則來貧血。且時有內痔之肛門。脫出於外。而不能還納。其甚者發劇甚之疼痛。苦悶不堪。前後被冷汗。此稱爲痔核嵌頓症。

又痔結節起炎症。形成膿瘍，穿破肛門外或直腸中而成窄孔時，此名痔漏。又外痔于肛門來裂痏，致排便時疼痛而出血者名痔裂。

治療　針承山崑崙脊中飛揚太冲復溜。俠谿氣海長强　灸命門腎兪。

脫肛　灸百會長强命門氣衝大腸兪

久痔　灸二白承山長强命門

痔漏　以附子末水和作餅如錢大安漏上以艾火灸令熱。乾則易新餅。日灸數枚。至內肉平始已。

16 黃疸

原因　感冒，胃十二指腸加答兒之傳播於輸胆管。因之其部起腫脹。而胆汁排洩困難。其他因胆石寄生蟲瘍腫等致胆道狹窄。及肝臟實質炎。血行器病，尤以心臟病肺病之精神感動中毒性傳染病之經過中爲甚。

症候 初期爲通常胃部之壓重。漸漸發生惡心。嘔吐而頭痛。身體倦怠。食思缺乏。舌帶白苔。大便大多秘結。此後本病之特徵。爲全身之皮膚粘膜發黃色，而於眼球眼瞼及結膜爲尤甚。尿亦含有膽汁色素。變爲黃色。糞便則缺乏膽汁色素。而呈灰白色。且血中呈胆汁之刺戟。起皮膚搔痒之感。脈搏大而減少。體溫下行，膽囊肝臟腫大壓重。

治療 1 一身盡黃色如橘黃煩渴頭汗消穀善飢大便秘小便赤　針中脘足三里公孫委中腕骨至陽膽俞。灸至陽七壯。

2 身目皆黃黃色晦暗。有如煙薰渴不欲飲。　灸脾俞心俞氣海合谷至陽中脘。

3 食畢卽頭暈心中怫鬱腹滿不安遍身發黃　針內庭三里腕骨陰谷灸至陽。胃俞

17 膽石症

原因 最多者於膽囊內生膽石之結石。此由于膽汁凝結，形成結石之故。美食，肥胖病，坐業爲本病之誘因。四十歲以上之女子。發者尤多。

症候 本病之症候不定。難以確診。但亦呈極著明之症候。即膽石通過輸膽管之際起强烈之刺戟。發症甚之疼痛。此名膽石疝痛。其痛放散于右側肩胛部，右胸部，右季肋部。及右上肢，腹筋攣急。疼痛甚者呈大苦悶。人事不省痙攣惡心嘔吐。四肢厥冷。皮膚被冷汗。如斯疼痛之發作。短者一二時。長者亘數週。診于腹部，肝臟部有膨大之壓痛。但結石下于腸中後則苦悶全解散。其外常現黃疸。

治療 三焦兪腎兪氣海兪大腸兪鳩尾上脘右章門京門。

18 腹水 膨脹

原因 從心臟病腎臟病肝臟病及肺氣腫而來。即靜脈管因血壓之亢進。下大靜脈之壓迫血塞等。致生門靜脈血行之障害也。從理學的原因言，係腹腔貯留滲濾液之疾患，故此種液體不名滲出物，而名濾出物云。

症候 本病在腹水之量尚少時，無自覺的及他覺的發症，但其量漸增，則覺腹部壓重緊滿，橫隔膜舉上時，覺呼吸困難，胸中苦悶，而心悸亢進，大便秘結，尿量減少。

視診上見貯留多量之液時，其腹壁強度緊張，前側扁平而側方尤擴張。且有光澤。透見靜脈之怒張，按壓之其腹並不硬固。亦不訴疼痛。若按壓腹部，試行波動，則能感知。又打診上呈濁音，此濁音因患者體位之變換而移動其濁音部位。如坐于椅中，濁音則在骨盤之一方，仰臥則濁音在左右側部是也。

腹水鑑別時，有誤認為卵巢囊腫者，但腹水之濁音部位。因地位之變換而轉移，卵巢囊腫則其始生于左右之何方。雖腹壁前方，突然轉換體位，而濁音之位置，依然在一處，故此種鑑別，當注意于已往症原因等。

治療 針三陰交陰陵絕骨人中灸水分氣海陰交水道腎俞。脾俞胃俞。足三里。

三 呼吸器疾患

1 鼻加答兒

原因 最頻繁的原因爲感冒。塵埃之吸入，瓦斯之刺戟等次之。其他有因感冒麻疹腸窒扶斯百日咳及藥物中毒而來者。其慢性症在腺病質之小兒，吸煙過多及梅毒等易發此病。

候 本病多俄然襲來，往往惡寒件以發熱頭痛。鼻腔感灼熱。鼻黏膜發赤腫脹。鼻腔道狹窄。或閉塞。頻發噴嚏，其初流稀薄如水之鼻汁。漸次流濃厚之粘液，進而流黃色膿厚之鼻汁。其慢性症多從急性症轉移，鼻根部訴疼痛，鼻腔閉塞；失嗅覺器能。聲音變爲鼻音，鼻汁呈水樣或呈膿狀，且帶惡臭。

治療 香臭不知呼吸不利　針迎香上星合谷灸風池百勞前谷。

鼻流清涕　針上星人中風府百會風池大椎　灸上星百會大椎風門。

鼻流臭穢濁涕　針迎香合谷上星人中風府百會風池大椎。

鼻生瘜肉發臭窒塞作痛　針風府風池風門人中禾髎。

2 衄血

原因　通例健康之人多起衄血。心神之過勞者，亦有常習性衄血、其因頭部或肩部有外傷者亦每發之。女子當月經時，每來代償性月經，又腸窒扶斯，肺炎等亦多發之。其他有出血性之素因者(如血友的白血病)亦有時發之可能。

症候　多從偏側鼻腔流出。而其量不同。本病多只爲鼻粘膜之出血，則不呈何種異狀。若爲頭痛等之腦症，因心神爽快而貧血者，則發時血量必多。甚至呈貧血症狀。來顏色蒼白，眩暈，耳鳴，頭痛，全身倦怠，以至稍稍失神。

治療　針委中少商關元灸顖會上星。

3 喉頭炎

原因　爲寒冒。熱體冷飲，鼻炎，咽頭炎之波及。痲疹，流行性感冒，發疹飲酒及吸烟過度等。

症候 頸部感灼熱，喉頭粘膜潮紅腫脹。有粘液樣及膿樣之滲出物附着。甚者見糜爛潰瘍。其他發嘶嗄，咳嗽，咯痰，噴噓嚥下時覺疼痛呼吸困難等症。

治療 針少商合谷尺澤關冲風府間使。

4 喉頭潰瘍

原因 爲加答兒性剝脫，窒扶斯，梅毒或結核等。

症候 發咳嗽頑固嘶嗄，喉頭搔癢，及潰瘍等，而梅毒結核各現全身及局處症狀卽如(甲)發腺腫(乙)肺結核是也。

治療 針少商合谷尺澤風府關冲照海頰車間使液門

5 氣管枝加答兒

原因 由寒冒，鼻炎，及喉頭炎之波及，含塵埃刺戟性空氣之吸入。流行性寒冒，痲疹，而發此症，其他爲心臟病之鬱血，或生齒反射刺戟等。

症候 咳嗽咯痰，爲朝夕之常習，夜間尤增惡，咯痰之量不同，或多或少或無。或咯出粘液膿樣之分泌物，通常不呈熱候，呼吸常感困難，急性發作時，則體溫昇騰，在打診下有變化，聽診下聞笛聲及類鼾聲。或大少水泡音。

本病因咯痰之性狀，分左之四種

一乾性加答兒，　通常咳嗽强甚，咯痰少時起喘息樣發作，因努力而咯出少量之黏液痰，聽診下只聞乾性水泡音。

二氣管枝漏　咯痰稀薄，迨多量咯出之後，覺大大輕快，聽診下聞濕性水泡音。

三漿液性加答兒　咯痰量多起發作性，因强劇之咳嗽，咯出多量之粘液性或漿液性之痰，咳嗽發作中，感呼吸困難，聽診下聞濕性水泡音。

四腐敗性氣管枝炎　視咯痰之性狀。爲本病特有之徵候，咯痰量多者，放腐敗之惡臭，患者每至嫌忌食餌。若將所咯之痰，靜置之，自有三層顯著，下層成泡沫之粘液膿狀。中層成帶綠色之漿液，上層成銹色膿厚之膜樣液。

治瘖　天柱風池大杼風門肺兪大椎身柱合谷列缺太淵尺澤。

6 喘息

原因　本病之原因未詳。但恐係因呼吸中樞之病變，爲迷走神經之疾患，卽由細小氣管枝之痙攣而起。爲神經性氣管枝喘息者也。今區別其原因，可分爲中樞性末梢性及反射性。中樞性者因鉛，水銀，尿毒等之中毒，刺戟迷走神經之中樞而來者也。末梢性者，因頭部之腫瘍，壓迫迷走神經而起者也。反射性者，最多從鼻腔粘液，咽頭氣管等之粘液腫脹，及消化不良，寄生蟲，子宮之轉位，歇斯的里等而發。本病多發于十四歲以上之人，就中以以神經性之男子爲多。又有遺傳性者。

症候　本病通常發作于夜間，頓發時，胸部窘迫，起呼息的呼吸困難，呼氣比吸氣甚延長，有劇烈的喘息。顏色呈紫藍色，肩背及前額，往往流冷汗，須危坐呼吸，而脈搏頻數，呼吸音呈微弱之笛聲，打診上發低之鼓音。如此發作一二時間

○漸覺緩快，亦有亘長至二三日者，至發作終期，咯出少量之粘液。

治療1身熱口咳喘咳不得臥聲如曳鋸　針大椎合谷列缺手三里足三里太衝。豐隆肺俞風門。

2形寒肢冷咳嗽痰多喉中有聲　灸靈台俞府乳根膻中天突

3胸高氣粗兩肩聳動不能臥聲達戶外　針魚際陽谿解谿崑崙合谷足三里。期門乳根　若面淡鼻冷則不治。然速灸關元氣海各數十壯，或有救。

4喘時聲低息短，吸不歸根，若斷若續，動則更甚，心悸怔忡　灸關元腎俞足三里

7肺臟水腫

原因　由于小循環之鬱血而來。又有從死戰期之心臟衰弱而來者。其他亦有從腎臟病結核等之肺臟疾患。或由肺之血管神經衰弱而來者。

症候　强度之呼吸困難，爲本病之特徵。全身呈蒼白色。(卽蒼身症　流汗强。肋間于

呼吸時現陷沒。胸部從打診下多不呈異狀。但漸漸發鼓音。聽診上爲水泡音。咯痰稀薄如肥皂水。而多泡沫。咯出時往往混血液。

治療 大杼風門肺兪厥陰兪心兪兪府或中氣戶列缺湧泉

8 咯血 咳血

原因 爲肺結核。肺壞疽。肺包蟲。肺腫瘍。急性氣管枝炎。肺炎肺鬱血。出血性肺硬塞。

症候 出血。發咳嗽，及如溫液湧于胸中之前驅症，其血液爲鮮紅色，含有泡沫，呈亞爾加爾性。但出血性硬塞，即楔狀出血，起咳嗽，及呼困難。血中混有煤色痰。而多成黑塊。而爲無熱矣

治療 針百勞肺兪中脘列缺肺兪湧泉灸百勞肺兪中脘足三里列缺風門肝兪。

9 肺結核 肺癆

原因 本病由結核桿菌而起。凡體格虛弱。胸廓偏平，皮膚菲薄。頰紅，背部之纖毛

，長頸等，所謂癆瘵質之體質，本病易以侵入。又因患者咳嗽噴嚏或談話之際，其所含之結核菌，從咯痰而唾出細小之泡沫狀。飛散于空氣中。隨吸息而吸入。因之而起此病。或者同與泌尿生殖器結核之婦人相接。而起感染，其皮膚喉頭腸管泌尿生殖器之原發性結核。結核菌由血管之介而催起本病。其他若運動之不充分。精神之感動，身心之過勞，營養之不良。貧血產褥。肺動脈瓣孔狹窄等，爲本病之誘因。而尤以十八歲乃至三十歲之男子爲多。

症候

本病之初期多潛進性，漸次來咳嗽頻發。胸部微痛。運動時呼吸迫促。貧血羸瘦諸症候。有時因身體過勞興奮強度之際，俄然起咯血。其始來也，恰類似腸窒扶斯之症候，爲熱稀少而有全身倦怠。便通不整等之像。畢爾資氏所謂結核假性窒扶斯是也。

體溫徐徐，其肺結核者，呈輕度之熱候。晨間卅六度二三分，晚來達三十八度，但疾病之顯著晨間每在正常或正常之下，晚來昇騰至三十九乃至四十度。咳嗽稀。而每與疾病之進行俱增加。咯痰亦從而增加。肺臟生空臟，痰呈膿性或粘液膿性，咯血往往來於初期。太多因肺臟空洞而起。患側之胸廓比較的狹小。呼吸時收縮亦較微弱。打診下初期呈濁音。聽診上聞中等之水泡音。因痰進行至於肺臟組織崩壞。形成空洞。遂呈鼓音。因口腔之開閉，體溫之變化而有高低。至於聽得大小水泡音及賁沸性大小水泡音，患者日日羸瘦，漸漸盜汗。

治療 灸命門鬼眼中脘關元神闕肺俞膏肓俞脾俞大椎陶道膈俞　針列缺尺澤湧泉太淵

10 肋膜炎 脅痛

原因 由寒冒外傷而起。然亦有因急性傳病，結核瘰腫，腎臟炎，急性關節僂麻質斯及其加答兒性肺炎諸種之肺臟疾患而續發者。是皆係細菌之感染也。

症候 本病初期，大多爲爲輕度之悪寒發熱，呼吸迫促咳嗽，胸腹刺痛，皮膚蒼白，食思減損，身體倦怠，因滲出物之性狀區別爲乾性肋膜炎及濕性肋膜炎。乾性肋膜炎其纖維素上之物質，沉着于肋膜面，患側之臥位不能取，打診上有抵抗，聽診上有摩擦音。濕性肋膜炎之滲出物，呈液狀而貯留于肋膜腔內，患側之胸部膨大，心尖搏動壓于健側，患者橫臥而打診于患側。其滲出物之部位呈濁音，聽診上證明有幽微之呼吸，其滲出物至呈膿狀時，則熱度高騰，而其他諸證，一般增劇。此之謂化膿性肋膜炎。其甚時膿汗破皮膚而向外方流出。或者肺臟穿通，俄然從口腔咯出。

治療 公孫三里太衝三陰交陽陵泉支溝章門期門陰陵肝俞

四 血行器病

1 心內膜炎心痛

原因 潰瘍性心內膜炎及贅疣性心內膜炎之二種。來於外傷性傳染。急性傳染等。又攣縮性內膜炎續發於贅疣性。或併發于飲酒無度梅毒慢性腎臟病。痛風糖尿病等。

症候　潰瘍性心內膜炎，或如窒扶狀而發稽留性熱。無慾狀態。舌乾燥被苔脾腫。薔薇疹等諸症。或如間歇熱，而爲發作狀。又發轉移性膿瘍於諸臟器。贅疣性心內膜炎，初時往往有不知其發病者。而此症增進，則體溫昇騰。心悸。心濁音部擴張。諸臟器栓塞等諸症。又聽取收縮期吹音及第二期肺動脈音之强盛。

治療　針灸內關膈俞湧泉太谿中封大陵隱白少冲神門

2 心臟痙攣　眞心痛　絞心症

原因　發于歇斯的里。神經衰弱。胃腸子宮及卵巢之疾患。又或來于中毒。或來于冠臟動脈硬化症。心臟大動脈瓣障害。大動脈瘤。或于痛風糖尿腎臟炎等。

症候　本病大抵在夜間睡眠中或操作中，俄然于心臟基部及胸骨部，發劇烈之發作性疼痛。其疼痛之狀。如切如灼。漸覺放散于左肩背部左膊。否則現心窩苦悶，心臟絞窄等之感覺，致感大大苦惱。其發作之持續，互數分鐘或數十分間。發作之際，顏貌慘慘，皮膚蒼白，額部流冷汗，四肢厥冷。不可名狀。陷于恐怕狀態，此際心動强盛，增其擴張。脈搏漸漸頻數不整。往往遲除小且軟，觸知困難。本病之診斷因上述之發作狀態。故容易觀察。

治療　針灸間使靈道公孫太冲足三里陰陵崑崙京骨巨闕

3 心悸亢進　怔忡　急脈症

原因　從精神過勞，神經恐怖症，房事過度而來。又有來于心臟瓣膜障害者。其他貧血家。神經性之人體來襲者甚多。

症候　本病爲心臟一器質之變化。其器能亢進。能自覺心悸道之頻數。本症發作的來者。其時胸際部發窘迫。呼吸不利。有不快之感。尤每因輕微之運動。及精神的興奮。卽心悸亢進。脈搏多充實而頻數。時時不整。又患者覺大苦悶時，呈顏面蒼白，或潮紅，發作的持續，短則四五分，久則一二時間，諸症全消。

治療　肺兪心兪　灸尾閭骨上，四指間的地方，每日七壯。

4 拔設篤氏病　突眼性甲狀腺腫病

原因 從來雖以此症原因爲顏面交感神經性痲痺論之，然近時爲由甲狀腺的作用，呈一種之中毒症者，是以醫藥無效。則切除之也。而幼壯者及婦女屢姙娠者，月經異常貧血家等尤多得此病。

症候 發心悸，心臟肥大。脈搏增進。甲狀腺腫大。眼球突出等諸症。其他上眼瞼擧上。而不蔽眼球鞏膜。其狀恰如怒視。是爲此症之特徵。

治療 針五六頸椎兩旁横開各一寸。大杼風門膈俞胆俞脾俞胃俞三焦俞腎俞大腸俞八髎。

五 泌尿器疾患

1 鬱血腎 小便血

原因 本症發於心臟瓣膜病，肺氣腫，或腎臟血塞症之患者，因腎臟靜脈血之循環障害，鬱血于腎實質內而來之疾患也。

症候 腎臟鬱血，則尿量減少而濃厚。其色呈赤褐色。用檢尿器檢之其比重增加。且有强度之酸性反應。通常含有少量之蛋白質。因其他之原因，發心悸亢進。呼吸迫促。頭痛暈眩。浮腫腹水壓重於腎部等症。

治療 針灸大陵關元照海陰谷湧泉三陰交。

2 腎臟炎 小便癃

原因 本病由腎實質起急性炎症。每發于猩紅熱，實扶的里，腸窒扶斯。急性關節僂麻質斯。痲拉利亞痲疹等之傳染病。續發于淋疾膀胱炎等，其他如妊婦之寒冒，漁夫舟子之因勞動觸冷。以及藥物之中毒等亦易發此疾患。

症候 本病以惡寒發熱，腎部疼痛浮腫及蛋白尿爲主徵。然症之輕者往往難以自知熱候及自覺症。稍重者發症著明。其主徵如嘔吐，食思欠乏。尿量減少。其始顏面浮腫。漸次波及全身。脈搏緊張。排尿困難。腎部覺壓重。且尿意頻數。甚者尿利全止。尿呈赤褐色。比重大。含有多量之蛋白尿。尿之沉渣中，有赤血球血色素，小顆粒細胞，及腎圓柱。但非經檢尿器檢尿不能確知。

治療 針關元三陰交陰谷陰陵泉氣海太谿陰交曲泉。

3 萎縮腎

原因 居常牛飲狂食。好吃茶。致罹本病。其他或有因急性腎臟炎之移行，或從痛風梅毒鉛中毒淋疾而來者。

症候 本病之初徵，起心悸亢進。頭痛暈眩衄血嘔吐視力障害，頑固之失神等。醫者每有誤會爲種種神經疾患之事。且本病之固有症狀。爲夜間尿意頻數。水量著著增加。色淡而呈淡黃色。比量減少。蛋白之量或僅微，或全欠。無一定。心臟呈强度之肥大。脈搏之硬度增高。亦爲此症特異之點。水腫亦爲本病之主徵。其發也從顏面至足踝漸漸蔓延，致心臟器能減衰。終至亘於全身。而發腹水之水腫。但此水腫從心臟器能之盛衰而時有進退。或來腦水腫或發尿毒症。

治療 灸腎兪關元。

4 化膿性腎臟炎

原因 本病因化膿菌經尿道或血管。或淋巴道侵入於腎臟內。形成腫瘍。病之輕者，腎臟有一個或數個小膿竈。重者感全腎臟實質破壞之疾病。

症候 比其他之化膿症呈弛張性之熱候。伴以戰慄。所患之腎臟，腫大而發疼痛。壓之其痛劇增。化膿時其疼痛呈波動。尿之量減而成爲膿樣。時時混以血液。

治療 針關元三陰交中封照海太冲。灸關元中封。

5 腎臟結石 癃疝

原因 遺傳。坐業。肉類及酒精之濫用。痛風或輸尿管有諸般之疾患等爲其誘因。本病析出尿中之鹽類則見沈着如石。嵌入于腎臟腎盂等。結石之小者如砂狀。(名腎砂)大者如豌豆。如鷄卵。

症候 本病特有之症候爲腎石疝。腎砂或腎石之小者。嵌入腎中。不呈何等之症候。若係大者，則起腎炎或腎盂炎。在腎部覺壓重緊滿，時時多出尿砂，尿意頻數。而通尿之際則覺痛楚。且出多少之血。腎石去腎盂。通輸尿管到達膀胱時。

卒然患方之輸尿管發劇甚之疼痛。放散于膀胱龜頭腰部大腿。此卽腎石疝也。患者之容貌呈恐怕之狀。皮膚呈蒼白色。。四肢厥冷。甚至戰慄發熱。嘔吐惡心。脈搏頻數。終至全身痙攣。神識缺乏。尿量大減。甚至來無尿疝。招尿毒疝。腎石疝痛起于發作性。其發作或數時。或持續數日。結石幸破碎。或落于膀胱。若排出于尿中時。卽其痛忽止。

治療 針灸關元腎兪陰陵泉三里大腸兪小腸兪三焦兪。

6 膀胱炎

原因 普通因大腸菌，淋毒菌化膿菌等之細菌感染而來者爲多。故主要者以腸窒扶斯赤痢虎力拉淋疾之傳染病及寒冒外傷。鄰接臟器之炎症。其他之膀胱疾患等爲誘因。又有少數因藥劑之中毒而發者。

症候 因其經過區別爲急性及慢性症。

急性症常寒戰，發多少劇熱。膀胱部及會陰部覺疼痛。尿意頻數。通尿之際其痛如灼。且覺尿後淋瀝。或者一時閉止。其他食思缺乏。煩渴。其尿于加答兒性膀胱炎，呈弱性或中性反應。檢鏡上含有多量之黏液及上皮細胞等。又于化膿性膀胱炎。其尿溷濁如膿樣。檢鏡上有膿球血液及上皮細胞。

慢性症如前者尿意頻數。而呈溷濁。且訴疼痛。但程度輕而通常乏熱候而已。然患者居常亦鬱鬱不樂。嫌忌坐業。漸次羸瘦。漸漸來危險之併發症。

治療 灸命門腎兪及薦骨部之兩側凡八穴。即上次中下八髎。

7 遺尿病

原因 本病發于三四歲至十一二歲間。因小兒保育不適當。飲食不良。教育等之不注意而來。或從腸寄生蟲，萎縮腎，及膀胱結石等之疾患，反射的刺戟而來。

症候 遺尿于睡眠後一二時間。夢排尿而不自知，致排尿于褥中。此名夜間遺尿症。本病經過緩慢。大人較少。

治療 灸氣海。大敦。關元。命門。腎兪。

8 膀胱痲痺 小便不禁

原因 從脊髓疾患腦疾患而來。或從急性傳染病後之全身衰弱。膀胱炎而來。其他手淫房事過度或居常有尿意者，亦易罹本病。

症候 膀胱壓縮筋之痲痺。其排尿時間漸遠。雖自覺膀胱之膨脹，而無小便射出之勢。雖經努責。僅放點滴，甚者完全不能放尿。故尿益益充滿于膀胱。膀胱括約筋之痲痺。其尿絕不能貯留。遇咳嗽噴嚏哄笑之時機。每失禁淋瀝。又兩筋均痲痺時。其症候混同。

治療 中極膏肓兪心兪然谷腎兪。

六 生殖器疾患

1 淋疾

原因 由淋濁球菌而發。男子發于尿道。女子來自子宮內膜及膣。本病因與淋毒患者交接而發。或因淋毒汁之附着物而傳染。娼妓藝妓最多爲本病傳染之媒介。

症候　本病之潛伏期，少有短長。大多亘一日至三日之時間。本病有男女兩性及急性慢性之區別。男子急性淋疾之初期，於尿道粘膜。出僅微之粘液分泌物。鎖閉尿道口。放尿呈異狀。其次尿道部感瘙痒。或發疼痛，放尿之際，覺甚灼熱。尿意頻數，利尿困難。依病勢之進步，至成膿樣，含有淋毒菌。本病發生中。與攝護腺炎。膀胱炎。副睪丸炎等併發者最多。

慢性淋疾因療法不充分時則續發爲急性症。

女子急性淋疾侵及尿道及子宮頭之粘膜，其外陰部全部起潮紅。漸漸成爲炎症。侵及子宮口及子宮膣。從膣及尿道出膿樣之分泌物。患者排尿之際感灼熱及瘙癢，漸次劇痛。膿中見多數之淋菌。因此急性症。移行于慢性症。本病發生中，每與子宮炎喇叭管炎等併發。

治療　針灸三陰交關元陰陵泉中極氣海陰谷腎俞。服曾天治之白濁根治液。

2 睪丸及副睪丸

原因 從外傷惹起。或淋疾之經過中。就中以尿道淋續發副睪丸炎者最多。又轉移性炎症從流行性耳下腺炎多發性關節僂麻質斯等發生者亦有之。

症候 淋濁性副睪丸炎爲主。在淋濁發生後第三週或第四週。多突然發現。而局限於一側。此際患者惡寒發熱，頭痛。所患之副睪丸，發劇甚之疼痛。延及精系。放散于下腹部。荐骨部大腿部等。副睪丸甚腫大。幾達手拳之大。發赤浮腫。呈硬殼狀之腫瘍。至睪丸之囊。按壓之疼痛劇增。

治療 針灸通谷束骨大腸兪三陰交氣衝中極湧泉。

3 遺精症

原因 本病通常從手淫。暴行。房事過度。及淫慾亢進而來。及發自尿道淋疾。包莖痔疾等反射的。或有脊髓癆。脊髓炎神經衰弱症，男子歇斯的里等而來。

症候 遺精之輕症者。夜間一個月一二回。陰莖微勃起。夢與人淫事，成快感。致漏出精液。精液漏出後，不論輕症重症總感身體之疲勞。頭痛暈眩。心悸亢進。

神思不振。甚至記憶力感弱。食思缺乏。消化不良。健康之男子雖遺精無此現象。

治療　夜夢遺精　針心俞白環俞命門腎俞灸中極關元三陰交合谷中封志室。

無夢自遺或動念即遺不拘晝夜慾頓生即行遺洩　灸精宮腎俞關元中封

4 陰萎

原因　從陰莖氣質之變異而來。即陰莖發育不全，或生腫瘍。睾丸炎疾患等。又房事過度手淫精神衰弱症併發。

症候　本病初期尚有不完全之勃起。淫心發動。未及交接。早先射精。而陰莖忽萎。或在交接中尚未到射精快感而漸次陰莖已萎。病增進時勃起全缺乏。淫慾或減或絕。延至與諸般之神經症疾患併發。

治療　針灸腎俞氣海俞小腸俞命門關元。

5 陰囊水腫

原因 急性陰囊水腫從外傷。淋毒性副睪丸炎及睪丸炎而續發。慢性從急性而轉。或因發急性症之原因而起。

症候 急性症潮紅腫脹。或發疼痛。伴以發熱。慢性症陰囊之彈力性。腫瘍性呈腫脹。

治療 針曲泉中封商邱大敦灸中封太冲商邱。

七 榮養病

1 腺病（瘰癧頸癧）

原因 此症爲十三四歲以下男女所多見之全身病也。而有先天及後天性之別。但其病毒同一而爲結核菌。其他榮養不良。濕地居住。及空氣不潔等。爲之誘因。

症候 體質薄弱。（遲鈍性者皮下組織脂肪多。顏面如腫起。而其色蒼白。口唇肥厚。又過敏性者。顏面細長。皮膚菲薄。易潮紅 皮下靜脈可透）。而併發淋巴腺腫。頭部濕疹。頭被膿疱。見皮膚苔癬。及痒疹。耳漏。結膜炎。眼瞼炎。

角膜病。鼻炎，羞明齲齒。脊椎骨瘍。白腫。胯間節炎諸症。

治療1尾骶骨上四指闊的地方爲灸穴。以大艾炷灸十餘壯，覺灸火自腰入腹。自腹入四肢。全身關節有非常舒暢的情形。輕者一次愈。重的隔一月或半月再灸，即三次四次亦無不可。至愈爲止。

2在少海穴用當門子一分，裝艾絨如釘鞋齒大者三團連灼之。如艾不能着肉，稍用粘性物貼之。待三火將了時以手按其灰。然後貼以普通膏藥。聽其自爛自愈。不爛者不治。左患灸左。右患灸右。一次即可。三月內禁食硝性物。

3百勞穴灸三七壯至百壯。肘尖百壯。第一個以針貫核正中以雄黃末拌艾灸之。

4針少海　灸天井翳風。

2　糖尿病　消渴

原因　爲遺傳麥酒過飲，嗜粉食或甘味。吸烟，精神過勞。梅毒。頭部外傷。腦疾。及膵臟疾患。

症候 善飢善渴。咽頭乾燥。排尿過多且頻繁。夜間尤甚。其尿澄清如水。而含有多量糖分。此外倦怠。頭痛。不眠。皮膚枯燥及瘙癢。癤腫癰。色慾減損。神經痛。昏睡。

治療 心胸煩熱。大渴引飲。飲不解渴。小便清長。針人中承漿神門然谷內關三焦俞。灸關元氣海。

多食善飢。不爲肌膚。小便多而味甜。針中脘三焦俞胃俞太淵列缺。

煩渴引飲，小便多而渾濁腿膝枯細。面色黧黑，針然谷腎俞腰俞肺俞中膂俞。

3 白血病 脾大

原因 爲寒冒。月經變常精神感動。間歇熱。肺炎脾淋巴腺骨髓之損傷及疾患。下肢充血。慢性下痢結核等。而丁年以上貧男發此病最多。

症候 以白血球非常增多爲主徵。卽脾性白血病。其脾肥大。作硬固一大塊。骨髓性白血病。發胸骨痛。淋巴腺白血病則皮下及腹內淋巴腺顯著腫脹。其他發全身倦勞。食思缺損。心悸頭痛眩暈失神皮膚弛緩。失色或瘙癢。惡液質。呼吸短促。下腹痞滿。衄血，下血咯血。腹水。浮腫諸症。

治療 灸大稚至陽陶道脾兪胃兪間使與塊中。

4 貧血 血虛

原因 此症爲稀有之症。而原發性身心過勞。不攝生。妊娠大出血等。又續發性爲寄生虫。胃腸潰瘍。子宮肌腫。赤痢間歇熱等諸症。

症候 肌膚及黏膜呈蒼白色發頭髮脫落。爪甲肥厚。食思缺之。身倦怠等。屢陷人事不省。其他有來骨關節疼痛。不整發熱。皮膚浮腫等症。又赤血球若減其數。血液成水樣。且變其形狀。血色素及白血球減少。

治療 灸尾骶骨上四指濶之地方爲灸穴。以大艾炷灸二三十壯。

八 運動器疾患

1 關節僂麻質斯 白虎歷節風

原因 本病爲一種定期的傳染病。大抵每歲自十月間至翌年五月間流行。其原因未詳。而主要病毒，於心臟及神經起毒作用。感冒及濕潤。爲本病之誘因。

症候 十歲以上至四十歲之人多患之。爲多數之關節腫起。疼痛。摩擦音。發熱。煩渴。皮膚濕潤。尿呈强酸性。富于赤色沈渣等。其疼痛無定處。今日發于膝關節。明日則發于手關節。名曰遊走性關節痛。急性併發心臟内膜炎及外膜炎。或胸膜炎者亦不少。慢性症每發于限局性關節。雖無熱而時時反覆。終至其部之運動障害。

治療 灸臍中痛處

手痠痛　針曲池合谷肩顒。

手連肩痛　針合谷太衝。

手臂冷痛　灸肩井曲池下廉臂臑。

鶴膝風　針陽陵泉陰陵泉。

膝　痛　針灸陽陵泉。

脚膝痛　針足三里陽陵陰陵絕骨三陰交申脈。

腿　痛　針後谿環跳。

脚跟痛　針內庭僕參。

股膝內痛　針委中三里三陰交。

諸節皆痛　針灸陽輔。

2 關節强直及攣縮症

原因　由胎生時關節發育障害。持久性或强直性壓迫。脊髓側灣症。外翻膝。外翻足。神經中樞之疾患。及損傷。軟部火傷。創傷。及炎症等而起。其他發于關節及其周圍軟部之炎症及損傷。而發結締織性關節强直。軟骨關節强直。骨關强直假性關節之强直。

症候　因關節强直。而關節運動全然廢絕者。曰眞性關節强直。有因全身痲醉中而營運動者。曰假性關節強直。又因攣縮而關節位置變常。及運動被其限制者。

治療 臍中痛處。

指攣痛 針少商。

臂頑麻 少商手三里天井外關經渠支溝陽谿腕骨上廉。

肘拘攣痛 針太淵曲池尺澤。

手筋急難伸 針尺澤。

肘攣 針尺澤肩髃少海間使大陰後谿。

肘臂手指强直不能屈 曲池手三里外關中渚。

手指拘攣筋緊 曲池陽谷合谷。

足不能步 絕骨條口太冲足三里中封曲泉陽輔三陰交。

脚胻攣急 金門邱墟然谷承山。

足攣 腎兪陽陰陽輔絕骨。

3 筋肉僂痲質斯

原因 與關節僂痲質斯同。通例。多來于僧帽筋，三角筋，肋間筋，腰筋。

症候 急性以患筋之腫起疼痛始而肥大或萎縮終。其症與關節僂痲質斯同。急性症有發熱發汗。而慢性症則全無熱候。疼痛。即有疼痛則僅限於局部一定之筋肉。而發身體各部游走性疼痛者絕少。

治療 灸臍中。局部痛處。

4 佝僂病（龜胸龜背）

原因 大抵爲三歲以下之小兒病。而多自生後。石灰鹽類及滋養分不足而來。又有先天性者。

症候 發脊柱轉位灣曲。顖門開大。額尨四角。胸骨隆起。全身薄弱。步行及起立困難。下肢關節腫大壓痛。管狀骨灣曲諸症。又起下痢。嘔吐。頭部出汗。帶白赤色尿渣。皮膚蒼白及頑固性咳嗽等。其他兼發聲門水腫。腹部膨滿。淋巴腺腫者亦不少。

治療　龜背　肺兪。

龜胸　乳根外邱。

九　傳染病

1 腸窒扶斯傷寒　小腸熱

原因及傳搬，本病係愛斐魯脫及皮格非兩氏所發現。腸窒扶斯菌存在於患者之腸內糞便尿及咯痰中。而直接從是等含有病毒之排洩物中，以手指觸之而變傳染，間接則以此等含有病毒之物混入食品，因攝取飲料水野菜等而感染。

症候　受傳染後經七日乃至廿一日，(平均十四日)之潛伏期，漸次來倦怠頭痛胃腸加答兒等之前驅症。其次來一二回之惡寒而發起本病。以後熱度漸次昇騰。四五日後，達于四十度之稽留。

下痢爲無痛性的，狀如豌豆汁。與便秘共多。腹部膨滿雷鳴，至第二週往往軀幹發薔薇疹。顏貌呈無慾狀。放譫語重聽。輕症熱輕減少。三週之後復平溫。重症往往至腸出血或心臟痲痺而死。但本症有不呈上述正規之症候者。往往有極不正之輕症狀經過（此稱不完全之窒扶斯）或者有誤認爲寒冒之經過者。輕症之輕重不一。健康者糞便中含有本菌。即所謂保存菌者亦多。

治療

一太陽症——頭身疼痛惡寒發熱有汗或無汗，不甚口渴舌苔白。發熱時仍惡寒渴喜熱飲　針風府合谷頭維風池風門

二陽明症——前額眼眶脹緊或疼痛。發熱不惡寒或微惡寒。壯熱煩渴。渴喜冷飲。口臭氣粗大便秘結　針二間合谷曲池內庭解谿。

三少陽症——頭痛在側。目眩耳聾喜嘔多吐。胸脇痛往來寒熱。口苦咽乾或利或不利　針中渚足臨泣期門間使竅陰中脘。

四太陰症——腹滿而吐。時腹自痛。白利不渴。手足微溫或兼惡寒發熱骨痛針

公孫中脘少商隱白三陰交大都。灸隱白三陰交中脘章門。

五少陰症——挾火而動者。心煩不寐肌膚灼燥。小便短。咽中乾。針湧泉照海復溜至陰通谷神門大谿，挾水而動者。目眩倦臥聲息低微。不欲言。身重惡寒。四肢厥逆腹痛泄瀉。或不泄瀉。舌淡白而不渴　灸腎俞肓俞關元太谿復溜。

六厥陰症——張目直視煩躁不眠口臭氣粗四肢厥冷心胸灼熱或下痢膿血或喉爛舌腐　針大敦中封期門靈道肝俞

四肢厥冷瓜甲青黑腹中拘急嘔吐酸苦　灸肝俞行間關元中脘期門。

腹中痛攣四肢厥冷吐利交作飲下即吐　針中封靈道關元間使肝俞。

2 虎列拉 霍亂

原因　此疫由虎列拉菌之傳染而發。即自飲食物，如飲料水侵入于體中而來。故飲食不攝生。及有胃腸炎病者及寒胃等。皆能爲之媒介。

症候　單純虎列拉。下痢發腹中雷鳴。暴泄（一日六七次）倦怠。食慾缺乏。四肢厥冷。尿量減少。嘔吐煩渴。腓腸掣痛。脈搏細弱等諸症。或以數日治愈。或轉以重症虎列拉。

類似虎列拉。腹中雷鳴。忽然發水瀉及嘔吐。（吐物及便色皆呈米泔樣汁）泌尿減少或絕止。手足厥冷。皮膚蒼白。脫力特甚。脈搏細數。腓腸疼痛等。輕症以數日治愈。

眞性虎列拉。來于單純虎列拉。或類似虎列拉。又或有突然特發者。而起全身衰弱。體溫下降。脈搏細數。尿量減少或絕止。吐瀉無痛性米泔樣液。（一日二三十次）眼窩陷沒。鼻梁屹立。諸肌痙攣。（腓腸）大渴引飲。聲音嘶嗄。呼吸困難諸症。其他皮膚厥冷。而殆無彈力。撮之則留皺襞。且呈皮膚藍色。遂于數時間或一二日死。或有一二週而治者。又此症有不發下痢者，名曰乾性虎列拉。

治療　1寒霍亂——腸胃絞痛或吐或瀉或吐瀉交作四肢厥逆汗出而冷面唇色青爪紫螺癟腹痛轉筋兩目失神　針委中中脘合谷太冲內關內庭足三里承山灸天樞神闕章門氣海。

2熱霍亂——發熱煩渴氣粗喘悶。上吐下瀉。螺癟肢冷躁渴不安，神識昏迷。刺尺澤少商關冲少澤委中出血。合谷太冲大都曲池陰陵中脘絕骨承山素髎人中。

3乾霍亂——腹中絞痛欲吐不能吐，欲瀉不得瀉。爪甲青紫。煩躁不安。舌黃或白　針人中少商關冲十宣委中十指頭出血。合谷曲池素髎太冲內庭中脘間使絕骨。

3赤　痢

原因及傳搬　本病爲日本志賀博士所發現。因赤痢菌存在于患者之大腸內及糞便中。其傳搬全與虎列拉同。

症候 傳染後一日乃至五日間之潛伏期。即發惡臭之前驅下痢。或竟疝痛。下泄粘液血液性之糞便。惡寒發熱疝痛，便通之行數增，至有裏急後重之苦。經過良好者數日後下痢行數漸次減少而復糞樣。但殘留永永下痢之傾向。

治療 腹痛下痢。青白粘膩。　灸合谷關元脾俞天樞。

腹痛下痢裏急後重赤白相雜腥穢不堪日下數十行　針小腸俞中膂俞足三里合谷外關腹哀復溜。

痢下腹中覺痛乍發。乍止。面黃食少　灸天樞神闕關元小腸俞。

胸悶嘔逆。痢下不止。心煩發熱。飲食不下　灸神闕天樞小腸俞。

4 間歇熱瘧疾

原因 此症所謂厤剌利亞曾於斯謨善之寄生物存在血中發之，而此寄生物，由蚊屬之一種，即亞納非列斯蚊螫刺人體以傳染者也。

症候 不病之發作分爲惡寒發熱。發汗之三期。即惡寒期（半時間或一時間）發惡寒戰慄脈搏頻數○（百搏至百廿搏）顏面蒼白或紫色○發熱期灼熱難堪○頭痛暈眩○大渴引飲○體溫昇騰達卅九度至四十一度○（約三時至五時）發汗期則出汗淋漓體溫下降○諸症消散○尿中含多量之赤色沉渣○比重甚高○

此病或日熱隔日熱○四日熱等之別○而其發作之持續時間○爲每日熱六時至十二時○隔日熱六時間○四日熱四時間○又脾臟腫大爲本病之所常見○

治療 1 但熱不寒肌肉消爍煩渴或嘔○　針太谿後谿間使陶道大椎○

2 寒多熱少始而戰慄繼乃作熱煩渴逾數時汗出或不汗出而解　灸大椎間使復溜神道○

3 寒熱日作或時作時止○飲食減少○脇下痞悶有塊○針灸章門脾俞塊中○

5 脚氣

原因 未詳○或爲由一種固有之黴菌傳染病○或爲青魚科之魚肉中毒○或爲營養障害○卽由飲物中含窒素物及炭素物之配合不得其適當○一說稱維他命缺乏○

症候　此症有乾性脚氣濕性脚氣及衝心性脚氣之別。乾性脚氣初發于足及下腿之知覺麻痺。次及上腿下腹口唇等。膝蓋腱反射消失。腓腸部緊脹壓痛。每行步困難。其他發心悸亢進。脈搏頻數。濕性脚氣。爲乾性脚氣之外。兼發浮腫者。即初來足部下腿之浮腫。遂進及全身。衝心性脚氣。兼發以上之症外。更發心悸亢進。脈搏頻數。呼吸逼促。顏面蒼白。惡心嘔吐等。遂陷心臟痲痺而死。

治療1乾脚氣　針湧泉至陰太谿崑崙陰陵陽陵三陰交絕骨照海膝關委中灸風市。

2濕脚氣　針灸足三里三陰交絕骨陰市陽輔陽陵。注意。按之熱甚則只針不灸。

3衝心脚氣　灸足三里三陰交絕骨各數十壯。

十　婦科

1子宮內膜炎帶下

原因　爲淋毒。分娩，產褥時不攝生，子宮疾患之變形，轉位，及筋腫等而發。其他手淫，房事過度，感冒，月經時不攝生。亦易罹此病。

症候　急性病以惡寒發熱爲始，骨盤內有壓重之感。帶下初稀薄，後則爲膿性。慢性症月經時血量增加。外出血。帶下之變化，即爲玻璃樣粘液或膿汁，下腹部有疼痛，其他爲頭痛。食思缺損，消化不良，神經性胃痛等，又有併發精神憂鬱。歇斯的里者。

治療　針灸三陰交陰陵泉腎兪關元中極八髎。

2 子宮實質炎子宮癰

原因　急性症發于淋毒性子宮內膜炎，子宮創傷傳染病。慢性症概續發于他之子宮病。其他惹起子宮充血諸症。即分娩後子宮收縮不全時有房事過度手淫等則發之。

症候　急性症來惡寒。發熱。小腹劇痛。譫語。衰憊。膿汁流出。惡心嘔吐下痢。尿閉。子宮知覺過敏。及腫脹等。慢性症起腰痛。便秘，尿意頻數。疝痛。子宮增大。白帶增大。白帶下諸症。

治療　針灸手足三里。合谷。三陰交。腎兪。八髎。中極。

3 子宮出血崩漏

原因　爲卵膜或胎盤片殘留，子宮收縮不全。息肉，纖維腫。癌腫等。

症候　經行後淋漓不止。或經血忽然大下不止。或非經期而下血甚多。或源源漏下不止。

治療　針灸氣海大敦陰谷關元太冲然谷三陰交中極。　灸大都穴三壯。

4 子宮痙攣

原因　有器質的及官能的區別。

甲惡新生物，子宮之轉位，子宮喇叭管及卵巢之急性或慢性炎症，月經困難。及其他來自器質的疾患。

乙發於歇斯的里，精神之激動，舞蹈騎馬，蓄尿便秘，月經之前後，亦有因冷却濕潤勞動神經質者，或房事過度而發者。

症候 因子宮之神經器能亢進，起子宮之收縮而發痙攣。其初有下腹壓重及緊滿之感覺。其後薦骨部及下腹部發痙攣。延而波及股膝。其狀覺如灼如絞或如刺之疼痛。有球形狀之物體。向心窩上衝。腹筋攣急如板狀。多屈上體。往往有反射的嘔吐。或伴以胃痛。甚至有四肢轉筋。陷于人事不省者。然脈搏多無異狀。亦不發熱。此際觸診于腹部。子宮之接衝。恰似有腫瘍之感。因精神之感動。大小便之努責。便秘腸中瓦斯之集積。而增加疼痛。本病發于歇斯的里家及子宮內膜炎。

治療 針灸湧泉足三里三陰交。

5 卵巢炎

原因 急性症爲子宮炎。淋毒蔓延。產褥熱。腹膜炎。子宮外膜炎。慢性症爲精神過勞。房事過度。膣加答兒。子宮內膜炎等。

症候 腸胃窩覺膨滿疼痛。壓之則疼痛增加。有惡寒發熱。又自膣及肛門探之可觸知卵巢增大。若炎症消散。則此症狀亦五六日而消散。若化膿則有膿流注于腹內。直腸膣及膀胱等。其他發便秘，食思缺損。睡眠不安等。

治療 足三里三陰交合谷。腎兪。痛處。

6月經過多

原因 因精神劇動營養不良。脂肪過多。肺結核等而發。亦有因心臟肝臟及胃之疾患及生殖器疾患（尤以子宮轉位）新生物慢性炎症或舞蹈騎馬等之刺戟性。或在月經時因步行而致血液幅輳於骨盤內來者。又有因短年月間反覆分娩或流產。及房事過度等而來者。

症候 月經過多者。月經多量劇甚。超越于常量。有害健康之症也。尋常月經之量。依各個人而不一定。但其標準。個人自己可以判然而得。若在月經期中。來多量之出血。或忽然中止。又忽越出常規。荏苒持續。費多多之日數，或月經頻數而來。月月數回。致影響於全身而起貧血。發白帶下。知覺過敏。於是而發頭痛，嫌忌影響異狀之臭覺等，至其末期或與疼痛併發。或來高度之貧血。而老婦尤常起惡液質焉。

治療　針隱白三陰交　灸右大都穴三壯。

7 月經困難 經痛 經行腹痛

原因　一器機的月經困難。由子宮筋腫。又子宮外口狹窄或不全。致一時妨害經血之排出。二充血性或炎症性月經困難。爲子宮內膜炎，子宮周圍炎，卵巢炎。及其他滲出物腫瘍而來。三神經性月經困難。因精神過勞神經衰弱等而發。

症候　多于月信前二三日間發前驅症。即全身違和。頭痛胃痛惡心嘔吐食慾不振不眠等，神經性者，月經來潮時則諸症頓時緩解或消失。又於炎症性與出血共同開始而病狀多獲輕快。器機的月經困難，出血增多則症狀增進，出血減量則症狀漸次消失。

治療　針灸內庭三陰交氣海。

8 月經閉止

原因　萎黃病。腺病。結核。糖尿病。腎臟病。藥劑中毒。肥胖病。精神病。生殖器疾患。子宮疾患。精神激動等而發。

症候　例期無月經。或中途閉止。月經時發腰痛。頭痛。胸內苦悶。消化不良等。本病爲代償機能，而因衄血咯血吐血等，往往得症狀輕快。

治療　針合谷三陰交地機血海。

9 膣加答兒

原因　由淋疾外傷或房事過度其他子宮炎症性疾患而來。慢性症由急性症移轉

症候　膣之粘膜腫脹，且呈赤色腫痛。次第增加。則局部覺有熱感。流出膿樣分泌物。其他來腰痛。全身倦怠。食思欠缺等。

治療　白環兪關元三陰交長强中髎。

10 不孕

原因　男子精蟲缺乏，精蟲減少。女子性交時的快感缺乏。子宮肥大。卵巢機能障害。性交過多。

症候　依時性交，但不能受孕。

治療　針上脘陰交灸陰廉神闕關元中極商邱子宮。

11 妊娠惡阻

原因　妊娠後二三個月，而起妊娠婦之嘔吐。其原因稱妊娠中毒。

症候　顯著的嫌忌食物。常催惡心。進以流動物之飲食。竟致逆吐。然若與固形物共食。或反之純進固形物。反容易收入。精神多亢奮。嘔吐久之。每數日斷食。而發頭痛。身體違和。不眠等。

治療　針內關中脘灸間使。

12 流產癖半產

原因 爲梅毒。淋毒。熱性病。胎兒畸形。臍帶異狀。又卵巢之疾患。身體發熱。貧血。子宮後屈。子宮內膜炎。子宮發育不全。生殖器疾患。骨盤狹窄。精神感動。藥劑中毒等。

症候 發四肢倦怠。食思缺損。尿意頻數。及腹部壓重下垂。來子宮出血。而此出血初爲點滴狀。或爲多量。次發陣痛樣疼痛。出血益增下。終排出卵膜。

治療 關元左右各開二寸灸二十壯。或中極旁各開三寸灸之。

13 產病

原因 運動欠缺。營養不良。以致產時骨盤不開。及無力努責。

症候與治療 1 生產數日不下 針合谷三陰交太衝崑崙。灸至陰。

2 橫生手先出 灸足小指尖三壯。

3 胎死腹中 針三陰交合谷太衝。

4 胞衣不下　針三陰交中極照海內關崑崙。

5 產後流血不止　針肩井三里三陰交支溝關元神闕。

14 乳腺炎

原因　因乳房之裂傷。咬傷。潰瘍等。致釀膿菌侵入于乳腺內而發炎。此大多發于授乳中之婦人。妊娠及處女發者甚少。

症候　乳房內生硬結。甚疼痛。其後加腫脹潮紅等。遂呈波動。若放置之能自潰而出膿汁。但在輕症，每不化膿而消散。重症則每件以惡寒及高熱。

治療　肩井乳根膻中大陵少澤委中三里

十一　兒科

1 臍風

原因　由于斷臍時剪刀不潔。或包臍不小心。破傷風菌作祟所致。

症候　小兒生七日內。面赤喘啞。吮乳口鬆。兩眼角挨眉心處忽現黃色。臍上有青筋

一條○上衝心口○或牙齦有小泡，須用藥棉裹指擦破之○

治療 1臍上有青筋未至心口時○急由小豆太或麥粒大艾炷在青筋頭上灸之○此筋卽縮下寸許○再從縮下之筋上灸之○此筋卽消而病愈矣○

2用燈心蘸香油燃火於顖門人中承漿兩少商各一燋○臍輪繞臍共六燋○臍帶未脫於帶口燒一燋，既脫處一燋○

2小兒急癇急驚風

原因 從恐怕驚愕號泣日射病後或消化不良腸寄生虫生齒困難便秘○及其他肺炎○痲疹急性熱性傳染病等而來○或起于吾人常常飽食下痢伴以熱候者○於小兒之胃腸症常常遭遇之○

症候 急癇發作，恰無異於癲癇發作○眼瞼連動停止○眼球回轉，眼眸固定○牙關緊急或齘齒○其始顏面軀幹四肢痙攣○其後來全身之間代性痙攣，伴以痙攣性呼吸○及發汗等○發作之持續，數分時而醒覺，一回發作既終，又以原因而再發。如此反覆見之。

治療　針少商曲池人中大椎湧泉中脘委中印堂承山百會。

3 結核性腦膜炎慢驚風

原因　本病從全身粟粒結核。肺結核。結核性肋膜炎。淋巴腺結核及生殖器結核之臟器結核而續發。卽結核菌之感染于軟腦膜者，其部發生結核病竈。最多發於十歲以下之小兒。尤以二歲至七歲時發生爲多。

症候　本病每常有前驅症狀。卽患兒從來恬活者，忽然覺頭痛感違和。不喜遊戲。食慾減少。嘔吐下痢。便秘。不眠或嗜臥。顏面蒼白。有不定之發熱。其後持續數日或一二週。常不能判別其爲何病。其後次第增重。成爲腦膜炎性刺戟症。卽精神矇朧。項部强直。譫妄痙攣。瞳孔甚大。及反射遲鈍。知覺過敏。其後精神次第昏矇。時時號泣。使兩親起不忍的心情。此名腦膜炎性號泣，便通多秘結。發嘔吐。腹部顯著陷没。

其始脈搏減少。且不正。其後頻數。呼吸多迫促。體溫上昇。又有降于常溫以下者，至病之末期則甚上昇。

終至意識完全消失。昏朦之狀漸深。痲痺著明。顏貌憔悴。甚形羸瘦。至此時期忽似呈輕快之貌。而有一線之望。其後再陷于昏睡，强直消失。嚥下困難。呼吸不正。脈搏頻數。終因心臟痲痺而死。其完全經過時間爲一二週乃至三週。

治療　針十宣列缺上中下脘足三里委中印堂人中中衝合谷頰車。灸關元天樞大椎神闕。

4 夜驚症

原因　本症爲三歲乃至六歲之小兒。因過食或消化器能之不調。及精神感動如圖畫怪談，或常時之乘坐電車汽車或高度之音響等。精神受過度之刺戟。而虛弱神經質與貧血者。尤多發焉。又扁桃腺肥大鼻咽喉之腫瘍等。亦爲本症之原因。

症候 大多于就寢後一時間及至三時間突然號泣醒覺，甚致呈驚怖之狀。或似有覺。或似無覺。精神昏亂。甚或起坐狂噪經慈母之撫慰。而仍不知其在夢中也。如斯亘十五分乃至一時間。此種發作。一夜間反覆再來者甚稀。太多不過每夜二回。或一週二三回，或一月二三回。

治療 灸百會三壯。

5 小兒消化困難症 猴子疳

原因 以不良之乳汁。不適當之食物。飽食過飲。牛乳濃厚。食器之不潔等而來者最多。其他授乳者之精神感動。心身之過勞，熱性症，下痢，月經等。與早生兒，貧血腺病質之小兒，亦易罹本病、本病爲吾人日常最多遭遇之疾病。

症候 面黃肌瘦，不思飲食。腹脹洩赤，便溏。消化不良。搔鼻搔手。啼哭無常。潮熱無定。其特徵爲兩手四指中節紋內呈有紅色絡紋瘀點一二粒。

治療 針其兩手八指中節紋內之瘀點約一分深，流出黃色稠黏之濃液。以棉拭淨至出淸血爲度。

十二　牙科

1 齒痛

原因　爲齒齦炎。齒髓新生物，齒槽膿漏。生齒困難。及寒熱之刺激等。

症候　齒痛有輕有重。有上牙痛。有下牙痛。

治療　上牙痛　針合谷太淵人中內庭。

下牙痛　針合谷列缺承漿頰車內庭。

蛀齒痛　針合谷內庭，齒孔中塡入樟腦少許。

2 齒齦炎

原因　口內炎。壞血病。水銀中毒。

症候　齒齦腫起疼痛。粘液唾液之分泌增加。放惡臭等。

治療　針合谷頰車內庭灸太谿陽谿。

十三　眼科

1 加答兒性結膜炎

原因　急性症多於春秋二季流行，其他由夜中不眠。異物竄入。摩擦外傷。鼻加答兒及顏面炎症之波及。痲疹。猩紅熱等而發之。慢性症由急性症轉來。或因不潔空氣。眼瞼緣炎睫毛亂生等。而發此症。又老人易罹慢性症。

症候　急性症眼瞼呈赤腫。熱痛。瞼緣靡爛。結膜充血。腫脹。（在重症則發結膜浮腫及結膜下出血。）而眼脂溢出　晨起身膠着上下睫毛。慢性症雖如急性諸症。然結膜弛緩。呈暗赤色。分泌爲少量。

治療　目赤不甚痛　針目窗大陵合谷液門上星攢竹絲竹空。

目赤有翳　針太淵臨泣俠谿攢竹風池，合谷睛明中渚。

目赤腫翳羞明隱澀　針上星目窗攢竹絲竹空睛明瞳子髎合谷太陽內迎香。

目赤腫痛　針神庭上星顖會前頂百會光明地五會。

目腫痛睛如裂出　刺八關十指尖。

目赤痛不腫　針合谷手三里太陽睛明。

目痛不紅　針二間三間前谷上星大陵陽谿。

目眥急痛　針三間。

2 角膜炎

原因　爲結膜炎腺病。梅毒。急性傳染症。外傷及其他眼之諸病。

症候　角膜溷濁。脈管發生羞明。流淚。疼痛。及水泡發生。潰瘍等。爲其主要症狀。

治療　迎風流淚　針頭維睛明臨泣風池灸大小骨空。

冷淚自流　灸肝兪百會風池後谿大小骨空。

3 夜盲症 雀目

原因　本症發于網膜外層之疾患。營養不良。神經衰弱症。產婦黃疸等之場合。眼底不拘何等障害。而多來本症。

症候 眼之外部及眼底。不異於常。對于弱光視力頓衰。若遇薄暮或採光不充分之時視力甚形障害。甚至與盲者無異。雖用燈光。亦漸漸不能讀書筆記。

治療 纔至黃昏便不見物。針上星前頂百會睛明出血。灸肝兪照海，又手大指甲後內廉第一節橫紋端白肉際灸三壯。

瞳神如常無或缺損日間亦視物不見　灸巨髎肝兪命門針商陽出血。

忽然視物不見，必急睡片時始能見人物　然亦不能明辨　針攢竹前頂神庭上星內迎香出血。

睛黃視眇乾澀昏花或螢星滿目起坐生花　針頭維三里承泣攢竹目窗百會風府風池灸肝兪胃兪。

4 角膜翳 翳膜

原因 爲角膜炎。角膜潰瘍。角膜營養障害。外傷。經久刺戟等。

症候　角膜由脂肪變性。結締織新生。或石灰鹽類之沈着等。而生溷濁。障害視力。其白色不透明者曰斑。稍帶灰白色而透明者曰翳斑。又虹彩與白斑癒着者曰癒着性白斑。

治療　針肝俞睛明四白太陽商邱厲兌出血灸肝俞命門三里光明翳風。

十四　耳科

1 耳聾

原因　國醫以肝胆之火。腎氣之弱。勞傷氣血。風邪襲虛，遂致暴聾。精脫腎憊。肝氣虛衰遂致重聽。

症候　兩耳重聽。其聲嘈嘈。久則不聞聲音。

治療　耳暴聾　針天牖四瀆。又以蒼朮長七分。一頭切平。一頭削尖。將尖頭揷耳中。於平頭上灸七壯。重者二七壯。覺內熱卽止。

耳聾實症　針中渚外關和髎聽會聽宮合谷商陽中衝金門臨泣。

重聽無所聞　針耳門聽會聽宮風池翳風俠谿。

2 耳鳴

原因　國醫以肝胆之火挾痰火而上逆。亦有因肝腎虛者。

症候　耳鳴如蟬噪不休者屬實。若其鳴泊泊然，霎時散。而霎時復鳴者屬虛。以手按之而不鳴或少減者屬虛。按之而愈鳴者屬實。

治療　耳內虛鳴　針足三里合谷，灸腎俞足三里。

耳內實鳴　針液門耳門足臨泣陽谷後谿陽谿合谷大陵太谿金門。

耳鳴不能聽遠　灸心俞五壯。積灸至三十壯。

3 鼓膜炎

原因　起于鼻及咽頭急性加答兒或急性傳染病。

症候　耳內生膿時感耳竅閉塞。

治療　耳紅腫痛　針聽會合谷頰車。

出膿水　針合谷臨風耳門。

十五　外科疾患

1 瘤腫 疔

原因　釀膿菌於皮膚不潔時深浸入于毛囊孔發之。而以顏面頸項及四肢臂部爲多。

症候　皮膚發焮赤。疼痛。爲圓錐形隆起。而其頂可見膿栓頭。

症候　皮膚發焮赤。疼痛，爲圓錐形隆起。而其頂可見膿栓頭。

治療　針身柱合谷曲池委中臨泣靈台。服野菊花汁一杯。

疔生在嘴角　針背之反對側紅點出血。

疔生在口之四週　針委中出血。

2 壞疽 脫疽

原因　由器械的作用(壓廹)化學的作用(酸作用)動脈血流通障害(心病動脈病)發之。

症候　壞疽痂皮起軟化或腐敗。其壞死部呈暗紅色或黑色。失知覺及運動。生水疱。包血樣漿液。遂潰敗放惡臭。發壞疽熱(脈搏細數。屍臭。發汗。煩悶。失神。呃逆。呼吸困難。嘔吐。下痢。皮膚黃疸色）。

治療　針曲池身柱委中。

用大蒜椿爛安于瘡上灸之。痛者灸至不痛。不痛灸至痛時方止。

3 疥癬

原因　由疥癬蟲之傳染發之。

症候　此症好生于指間。指側。肘。腕。膝等等之關節部。遂蔓延于全身。極稀發混小水疱狀。雷疹狀。及膿疱狀之疹。最感瘙癢。（夜間臥後身體溫暖更甚。）由搔破而剝脫。又續發濕疹。

治療　灸血海膈俞曲池各十壯。

4 攝護腺炎

原因　半由花柳場中得來。

症候　攝護腺部發生炎症。紅腫生膿。癢痛不止。

治療　針三陰交中都復溜血海陰陵泉承山。

（實驗鍼灸學完）

中國鍼術與內分泌

上海震旦大學醫學院教授
醫學評論康健雜誌主編　宋國賓博士

假使把中國的舊醫學，從新整理一下，我以爲鍼術是最値得研究的。

鍼術與湯藥皆是中國最古老的東西，而鍼術爲尤古，後來因爲湯藥的發達，鍼術遂漸漸不爲人們所注意了。考其原因，無非因爲鍼術不重空論，而重實行，不近玄學，而近科學。非熟於經穴，精於手術，不能收效，避實就虛，畏難求易，是人們的常情，因此鍼術的醫學遂無形的不大爲醫家所採用了，近百年來，科學的新醫學輸入到中國，中國的鍼術却慢慢地抬起頭來了，不但中國的新醫學家注意到牠，就是外國的醫家也相當的重視牠。同時，對於牠的治療的原理，多少帶有一種神秘的觀念，其實，牠的原理是一點不神秘的。本篇所述的就是這一點。

內分泌的作用，稍懂一點醫學的人，想必都可以曉得的罷。內分泌者，是一種不由管道，而直接由臟器分泌出來以滲入血液或淋巴系的物質，內分泌對於其他的器官含有兩種作用：

(一)興奮他力活動

(二)制止他力活動

但是這二種作用，並不是由內分泌直接引起，而是由分泌液刺戟二種神經——交感神經與反交感神經(亦稱副交感神經)所引起的。此二種神經受內分泌的刺戟對于血管卽發一種張，縮的作用——此二種作用因器官而異，交感神經可收縮血管亦可擴張血管，反交感神經亦然。不過在普通情形之下，交感神經收縮的作用爲多能了。——血管張則器官充血，而功作加緊，血管縮則器官貧血而工作減少，所謂興奮作用者，就是使器官充血之謂，所謂制止作用者，就是使器官貧血之謂，正常人的生理現象，即維持于此二種神經的作用平衡支配之下，而此二種神經工作之支配，則悉聽命於內分泌腺，假使某種內分泌腺因病而受虧損現象時，則其所管轄下之神經，即失其充分刺戟之作用，而對某種器官發生病態了。或某種內分泌腺過度充分時，則上述之二種神經中，即有一種受其直接的影響而過度緊張，使生理上的平衡消失，多數的疾病即發生於此種不平衡狀態之下。總之，交感神經或反交感神經的作用，支配於內分泌之下，而任何內臟，則又支配於交感神經或反交感神經之下，茲以圖表解之如下：

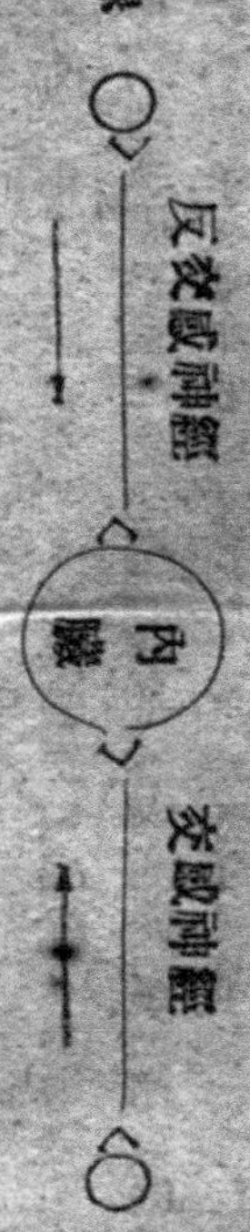

所謂任何內臟皆支配於上述二種神經之下者，可舉二例以明之：

（一）心臟　心臟的跳動，每分鐘爲七十次，因爲心臟在交感神經與反交感神經管理之下，而保持還正常的態度，交感神經之作用在促進心臟之活動，反交感神經——即迷走神經——之作用，在停止心臟之活動。此二神經之作用平等，故心臟之跳動不疾不徐，假使交感神經過度興奮則心臟呈過速現象，反之而迷走神經過度興奮，則心臟呈過緩現象。

(二)瞳孔　瞳孔的擴充與收縮，亦完全爲交感神經或反交感神經所支配，交感神經之作用在擴張，反交感神經——卽第三對腦神經——之作用在收縮，假使這二種神經有一失其平衡，則瞳孔卽呈擴張或收縮的不正常狀態了。

因爲交感神經和反交感神經雖有管轄內臟之權，而又支配於內分泌管轄之下，於是普通科學治療遂有內分泌臟器療法了，臟器療法者，卽補充內分泌腺不足之一種療法也。

中國的鍼術就等於臟器療法。牠的作用，更與內分泌的作用無異，牠利用針的刺入來刺戟交感神經，或反交感神經，使之發生制止和奮與二種作用。例如某內臟機能衰弱的病人，因爲內分泌虧損不夠刺戟某部分之神經，使之發生興奮作用，這時如果用針來刺戟一下某一穴道下的交感神經，或反交感神經則可發生血管擴張和機能旺盛的現象。又如發炎現象，爲血管擴張，血液瘀塞，這時如果用鍼來刺戟一下某一穴道下的交感神經，可使該處血管起收縮的現象，而炎自消，或是刺戟另一穴道的交感神經，或反交感神經使身體的他部發生充血，而使炎部的血向他部轉移。總之，針術的作用有「興奮」和「制止」二種，而這二種作用皆是由刺戟交感或反交感神經所引起的，這與內分泌的作用，可謂完全相同，而與臟器治療相等，不過其作用比較的迅速而已。

假使以解剖的部位，來解釋鍼術的作用，是永遠說不通的，卽如針中脘（劍突與臍眼當中）可治霍亂，針曲池（在肘外輔骨之陷中）合谷（在食指拇指凹骨間陷中）可治咽峽炎，拿解剖的部位來說，那里能講得通呢，因此一般的醫家對鍼術的治療原理就不免懷疑起來了，其實他的作用，若以內分泌作用解釋之，又何神秘之有呢？

本篇所述僅其大概，至於何以針某一穴道即能治某部病症則尚有待於研究本問題者之努力焉。

錄自民廿五年十月十五日出版之醫藥評論第八卷第十期。又診療醫報第九卷第一期

讀鍼灸醫學大綱後

上海醫藥評論社來函「敬啓者大著鍼灸醫學大綱一書搜羅宏富，編制詳明，敝社同人莫名欽佩尚祈 惠賜一冊俾陳列于敝社藏書室中以供衆覽而資研究無任欣幸此致即請

曾天治先生撰安

醫藥評論社啓四月廿七日

上海診療醫報社主編夏愼初醫師來函「天治先生台鑒頃讀 尊著鍼灸醫學大綱及氣管枝喘息的鍼灸療法之後不勝欽佩 先生以生理解剖解釋鍼灸之穴之效用可謂以科學方法整理吾國舊有之醫學者焉 大作氣管枝喘思的鍼灸療法當於八卷十二期之診療醫報登出先此奉告順頌

道安

弟夏愼初頓 八，十九。

全書分五編，第一編緒論。第二編治療原理。第三編經穴（附插圖六幅）第四編治療技術，第五編證治。三百五十頁，十六萬七千言，定價二元，現售八折，總發行所廣州萬福路三七三號二樓曾天治寓所。代售處廣州永漢路八大書局。三大中醫學校。